독해력을 키우는 단계별·수준별 맞춤 훈련

초등 국어

일등급 독해력

이 책을 추천합니다.

●● 초등학생에게 국어 독해 공부가 필요한 이유는 분명합니다. 글을 읽고 스스로 독해하는 능력이 부족하면 모든 과목의 학습 능력이 떨어질 수밖에 없습니다. 독해 능력은 무조건 책을 많이 읽는다고 길러지는 것이 아니라, 좋은 글감으로 쓰인 글을 읽고, 여기서 정보를 찾아 논리적으로 이해하는 연습을 반복할 때 길러지는 것입니다.
이 책은 초등학교 교과서에서 뽑은 다양한 글감을 다루고 있어 전 과목 연계 학습이 가능한 교재입니다. 초등학생들이 흥미롭게 읽을 수 있는 재미있는 글로 독해 연습을 시작한다면, 스스로 글을 읽으며 독해력을 크게 향상시킬 수 있을 것입니다.
– 문주호 (청봉초등학교 수석 교사, 〈초등 5·6학년 공부법의 모든 것〉 저자)

●● 수업 시간에 집중력이 떨어지는 학생들은 대부분 독해 능력도 부족합니다. 글을 읽고도 자신이 어떤 내용의 글을 읽었는지 정리해서 말하지 못하죠. 이렇게 독해 능력이 떨어지면 수업을 따라가지 못해서 공부에 흥미를 잃게 되기도 합니다. 자신이 읽은 글의 내용에 재미를 느끼고 궁금한 것이 생겨야 글 읽기가 학습으로 연결될 수 있습니다.
그래서 독해 공부가 중요합니다. 이 책으로 공부하면 쉽고 재미있는 짧은 글부터 어렵고 긴 글까지 단계별로 읽으며 독해력을 기를 수 있습니다. 매일 독해 공부를 한 뒤, 모르는 어휘에 대한 공부도 함께 하면서 독해력의 기초를 다질 수 있는 좋은 교재입니다.
– 오정남 (밀양초등학교 교사, 〈기적의 한 줄 쓰기〉 저자)

●● 초등학교 입학 전부터 꾸준히 독해 공부를 해 온 아이라, 다양한 글을 많이 읽을 수 있는 교재가 필요했습니다. 이 책에서는 문학 작품 외에도 인문, 사회, 과학, 기술, 예술 등 여러 분야의 글감을 골고루 접할 수 있습니다. 또한 문제를 통해 글의 주제를 잡고, 세부적으로 중요한 내용을 정리하면서 어휘까지 복습할 수 있어서 좋았습니다.
무엇보다 가장 좋았던 것은 아이의 생각을 글로 표현하는 '생각 글쓰기'였습니다. 전체적인 내용을 다시 한 번 기억하면서 지문에 제시된 주제 및 어휘를 이용하여 자신의 생각을 짧게 표현하는 훈련을 한다면 논술 공부에도 도움이 될 것이라 생각됩니다.
– 노인희 (방산초등학교 2학년 학부모)

●● 저희 아이는 원래 책을 읽는 것을 좋아하는 편이어서 평소 독해력이 부족하다고는 생각하지 않았는데, 이 책에서 다양한 글들을 읽으며 아이가 독해에 더 흥미를 갖게 된 것 같습니다. 또한 지문의 중심 내용을 파악하고 문제를 푸는 과정에서 자신이 글을 올바르게 이해했는지 확인하면서 독해 실력이 향상되는 것이 눈에 보였습니다.

해설도 아주 자세해서 채점을 한 다음에는 해설을 읽으며 자기가 이해한 내용이 맞는지 확인하면서 공부할 수 있었습니다. 지문과 문제를 잘 파악하고 이해하는 독해력이 뒷받침된다면 아이가 중학교에 입학해서도 즐겁게 공부할 수 있을 것이라고 생각합니다.

– 장은채 (원종초등학교 6학년 학부모)

●● 국어 영역은 모국어 능력을 평가한다는 이유로 학생들이 비교적 소홀히 여기기 쉬운 과목입니다. 하지만 국어 영역에서 요구하는 독해 능력은, '처음 보는 장문의 글'을 완벽히 이해하는 것입니다. 이러한 독해 능력은 중고등학생 때 내신 시험을 벼락치기 하듯 대비하여 생겨나는 것이 아닙니다. 초등학생 때부터 인문, 사회, 과학에 걸친 다양한 주제의 글들을 읽고 그 내용을 이해하는 연습을 꾸준히 해야만 얻을 수 있는 능력입니다.

〈초등 국어 일등급 독해력〉 시리즈를 통해 일찍부터 다양한 글을 독해하는 습관을 갖는다면, 앞으로 국어뿐만 아니라 다른 과목을 학습할 때에도 큰 도움이 될 것입니다.

– 백나경 (서울대 인문계열 19학번)

●● 독해는 모든 과목에서 반드시 필요합니다. 가령 수학을 공부하더라도, 문제에서 요구하는 것이 무엇인지 이해하지 못해 발목을 잡히곤 합니다. 게다가 갈수록 지문의 양이 많아지고 그 내용이 복잡해지는 요즘, 독해의 중요성은 나날이 올라가고 있습니다.

독해력이 하루아침에 상승하는 것은 기대하기 어렵습니다. 따라서 어렸을 때부터 국어 독해를 연습해 두어야 합니다. 좋은 글들을 많이 읽고 생각해 보는 연습, 이를 바탕으로 다양한 유형에 적용해 보는 연습, 수많은 어휘를 내 것으로 만들어 보려는 연습은 앞으로의 공부에 든든한 자양분이 될 것입니다. 여러분의 국어 실력 향상을 응원합니다!!

– 이재선 (서울대 생명과학부 19학번)

 '일등급 독해력'으로 사고력과 문제 해결력을 키워 보세요!

초등 국어

일등급
독해력

①

초등 국어 독해, 왜 필요할까요?

1 초등학생에게 국어 독해가 중요한 이유

'독해'란 글을 읽고 뜻을 이해하는 것을 말합니다.

초등학생 때는 한글을 배우고 처음 글을 접하면서 독해력을 키우는 시기입니다.

이때 형성된 독서 습관이 생각하는 힘을 길러 주며, 모든 학습 능력의 기초가 됩니다.

글 속의 중심 생각과 정보를 자기 것으로 만들어 문제를 해결하는 능력은 한 번에 생기는 것이 아니므로, 좋은 글을 읽으며 차근차근 쌓아야 합니다.

2 초등학생 때부터 국어 독해를 잘 하기 위한 방법

❶ 다양한 글감으로 재미있게 독해하기

생활 속의 현상과 관계된 재미있는 글, 이야기, 동시 등 다양한 글감으로 독해에 흥미를 느끼게 합니다.

❷ 쉬운 글부터 어려운 글을 단계별로 학습하기

처음에는 쉽고 짧은 글부터 시작하여, 점점 길고 어려운 글을 읽으면서 독해력을 조금씩 향상합니다.

❸ 교과서와 연계된 글로 학교 공부 잡기

개정 교과서에서 찾은 다양한 글감을 읽으면서 자연스럽게 전 과목 교과서와 연계하여 학습합니다.

❹ 문제를 풀면서 사고력 기르기

글을 읽고 문제를 푸는 과정을 통해, 글에서 답을 찾아내는 연습을 하면서 스스로 생각하는 힘을 기릅니다.

❺ 글에 나온 어휘를 꼼꼼하게 익히기

독해 마무리 활동으로 글에 쓰인 어휘의 뜻과 쓰임을 예문을 통해 복습하면서 독해력을 완성합니다.

3 교과서와 연계된
다양한 글감으로 독해력 향상

이 책의 구성

1 다양한 글로 **사고력 키우기**

국어·사회·과학·도덕·음악·미술 전 과목 교과서와 글감 연계!!

모르는 낱말 뜻을 익혀서 독해력을 효과적으로 향상!!

① 쉽고 짧은 독해부터 길고 어려운 독해까지 10일씩 난이도를 높여 학습하는 40일 완성 독해 훈련서입니다.

② 학년별 **교과서 제재를 연계**하여 다양한 형식의 글로 엮었습니다.

③ 독해하면서 학생들이 지루해하지 않도록 글의 내용에 맞는 **재미있는 그림과 사진**을 실었습니다.

④ 글 속의 어려운 **낱말의 뜻을 풀이**하여, 그때그때 찾아보며 글을 읽을 수 있도록 하였습니다.

2 문제를 풀며 **독해력 키우기**

① 수능 문학, 비문학에 실제로 출제되는 **수능 출제 유형을 반영**하여 통일된 유형으로 문제를 출제하였습니다.

② 글을 읽은 뒤 스스로 글의 전체 구조를 학습하기 위한 **지문 구조화 문제**를 마지막에 수록하였습니다.

③ 1~2문장으로 간단히 쓸 수 있는 **서술형 문제를 제시**하여 글을 읽고 느낀 점을 생각하게 하였습니다.

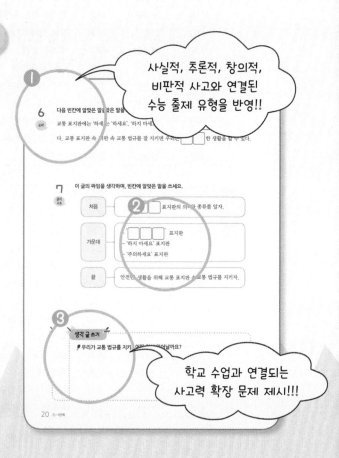

사실적, 추론적, 창의적, 비판적 사고와 연결된 수능 출제 유형을 반영!!

학교 수업과 연결되는 사고력 확장 문제 제시!!!

③ 어휘 학습으로 **어휘력 키우기**

① 마무리 활동으로 글에 쓰인 어휘의 뜻과 쓰임을 복습하는 **어휘 다지기**를 수록하였습니다.

② 글을 읽고 어떤 문제 유형을 맞고 틀렸는지 **매일 스스로 평가하고 점검**할 수 있도록 하였습니다.

③ 매일매일 맞은 문제 수에 따라 스스로 느낀 **학습 난이도를 스티커**로 붙이도록 하였습니다.

※ 스티커는 문제편 마지막 장에 수록되어 있습니다.

독해의 기초가 되는 어휘 내용을 반복해서 충분히 학습!!

매일 학습한 내용에 대한 성취도를 스스로 매일매일 평가!!

④ 해설을 보며 **문제 해결력 키우기**

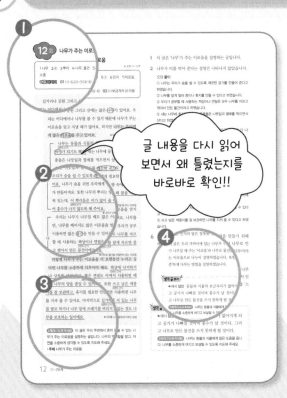

글 내용을 다시 읽어 보면서 왜 틀렸는지를 바로바로 확인!!

① 문제의 정답을 한 번에 맞춰 볼 수 있도록 **보기 쉽게 구성**하였습니다.

② **문단별 핵심 내용**과 문제 풀이의 근거가 되는 부분을 표시하고, 글 전체를 자세하고 꼼꼼하게 분석하였습니다.

③ 학생들을 돕기 위한 **가이드 해설**을 실어서 학부모님과 교사분들이 직접 설명하고 지도하기 쉽게 구성하였습니다.

④ 생각 글쓰기 문제의 **예시 답안**과, 학생들이 더 깊게 생각할 수 있는 해설을 수록하였습니다.

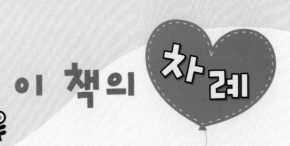

이 책의 차례

3 단계 사고력을 키우는 **다양한 독해**

4 단계 독해력을 완성하는 **긴 독해**

1단계

상상력을 키우는 **짧은 독해**

✿ 자신의 학습 능력과 상황에 따라 꾸준하게 공부하는 것이 가장 중요합니다.
✿ 학습 계획을 먼저 세우고, 스스로 지킬 수 있도록 노력해 보세요.

				학습할 날짜
01회	그림일기를 써요	설명문	인문	☐ 월 ☐ 일
02회	길을 잃었을 때는 이렇게 하세요	설명문	사회	☐ 월 ☐ 일
03회	교통 표지판의 종류와 의미	논설문	사회	☐ 월 ☐ 일
04회	태권도란 무엇일까요?	설명문	인문	☐ 월 ☐ 일
05회	숫자의 발명	설명문	인문	☐ 월 ☐ 일
06회	휴대 전화의 발달	설명문	기술	☐ 월 ☐ 일
07회	물의 여러 가지 모습	설명문	과학	☐ 월 ☐ 일
08회	한글 짝! 한글 쿵!	문학	동요	☐ 월 ☐ 일
09회	왜 띄어 써야 해?	문학	동화	☐ 월 ☐ 일
10회	벌아 벌아 꿀 떠라	문학	동요	☐ 월 ☐ 일

집 안 곳곳에 걸려 있는 사진을 보면 우리 가족과 °행복하게 보냈던 시간이 °기억나요. 사진이 기억을 담고 있는 것처럼 우리도 하루하루를 기억에 남길 수 있어요. 바로 그림일기를 통해서 말이에요.

그림일기를 쓰면 좋은 점에는 여러 가지가 있어요. 먼저 중요한 일을 쉽게 기억할 수 있고, 일기를 펼쳐 보면 어떤 일을 했는지 되돌아볼 수 있어요. 그림일기는 우리가 겪은 일뿐만 아니라 그때의 생각이나 느낌을 오래 °간직하는 데에도 도움을 줘요. 이렇게 그림일기를 쓰면 우리에게 일어난 일에 대해 깊이 생각해 볼 시간도 생기고, 기억에도 오래 남아요.

그림일기를 어떻게 써야 할까요? 그림일기에는 하루 동안 겪은 일 중 기억에 남는 중요한 일을 그려요. 그리고 기억에 남는 일을 써요. 날짜나 요일, 그리고 날씨를 °기록해 두면 언제 무슨 일이 있었는지 떠올리는 데 도움이 돼요. 또한 나에게 있었던 일에 대한 생각이나 느낌도 쓰는 것이 좋아요.

낱말 뜻 풀이

- **행복**: 생활에서 충분한 만족과 기쁨을 느끼어 흐뭇함.
- **기억**: 이전의 인상이나 경험을 의식 속에 간직하거나 도로 생각해 냄.
- **간직**: 생각이나 기억 등을 마음속에 깊이 새겨 둠.
- **기록**: 주로 나중에 남길 목적으로 어떤 사실을 적음.

---

1 이 글에 알맞은 제목은 무엇인가요?

제목

① 그림을 그려요

② 사진을 찍어요

③ 그림일기를 써요

④ 가족 여행을 가요

⑤ 학교 숙제를 해요

2 이 글을 쓴 까닭은 무엇인가요?

주제

① 자신이 쓴 그림일기를 소개하려고

② 그림을 잘 그리는 방법을 설명하려고

③ 그림일기를 쓰면 좋은 점을 알려 주려고

④ 사진과 그림일기의 다른 점을 알려 주려고

⑤ 집에 사진을 걸어 두는 까닭을 알려 주려고

3 사진과 그림일기의 비슷한 점으로 알맞은 말을 쓰세요.

세부
내용

└──┴──┘ 을/를 남길 수 있게 해 준다.

4 그림일기를 쓰면 좋은 점을 빈칸에 쓰세요.

세부
내용

그림일기를 쓰면 우리가 겪은 └──┘ 와/과 그 일이 있었을 때의 └──┴──┘ (이)나

느낌을 잘 기억할 수 있다.

5 왼쪽의 그림일기는 그림일기에 들어가야 할 것 중 무엇이 빠졌는지 쓰세요.

적용

날짜, └──┴──┘ , 날씨

6 그림일기를 쓰는 방법으로 알맞지 <u>않은</u> 것은 무엇인가요?

세부
내용

① 기억에 남는 장면을 그림으로 그린다.

② 그날의 날짜나 요일, 날씨도 함께 쓴다.

③ 일기를 읽을 선생님께 하고 싶은 말을 쓴다.

④ 나에게 있었던 일에 대한 생각이나 느낌을 쓴다.

⑤ 하루 동안 있었던 일 중 기억에 남는 중요한 일을 쓴다.

7 이 글의 짜임을 생각하며, 빈칸에 알맞은 말을 쓰세요.

글의
구조

처음	우리 집의 ☐☐ 와/과 같은 그림일기
가운데	☐☐☐☐ 을/를 쓰면 좋은 점
끝	그림일기를 쓰는 방법

생각 글 쓰기

✎ 그림일기에 날짜와 요일, 날씨를 쓰는 까닭은 무엇일까요?

어휘 다지기

01 다음 낱말에 알맞은 뜻을 찾아 선으로 이으세요.

(1) 기록 •

(2) 기억 •

(3) 행복 •

• ㉠ 주로 나중에 남길 목적으로 어떤 사실을 적음.

• ㉡ 생활에서 충분한 만족과 기쁨을 느끼어 흐뭇함.

• ㉢ 이전의 인상이나 경험을 의식 속에 간직하거나 도로 생각해 냄.

02 아래 상황에 알맞은 낱말을 찾아 빈칸에 쓰세요.

> 기록   기억   행복

(1)

맛있는 젤리를

많이 먹어서

☐ 했다.

(2)

여름 방학이 언제인지

☐ 이 나지

않았다.

매일 학습 평가	맞은 문제에 표시해 주세요.						맞은 개수	
1 제목 ☐	2 주제 ☐	3 세부 내용 ☐	4 세부 내용 ☐	5 적용 ☐	6 세부 내용 ☐	7 글의 구조 ☐	개	스티커를 붙여 주세요

01회 **13**

가족과 함께 놀이공원에 갔다가 갑자기 엄마, 아빠가 보이지 않거나, °산책을 하다가 길을 잃을 때가 있어요. 이때 놀라서 엉엉 울거나 이리저리 길을 찾아 돌아다니는 경우가 많아요. 그러나 이런 행동은 °위험해요. 우리는 길을 잃었을 때 3단계 °구호를 기억해야 해요. 그 구호는 바로 '멈추어요, 생각해요, 도움을 요청해요'예요.

첫 번째로 길을 잃었을 때 가장 먼저 할 일은 제자리에 멈추는 일이에요. 우리가 움직이지 않아야 엄마, 아빠가 우리를 더 쉽게 찾을 수 있어요. 두 번째는 엄마, 아빠의 이름, 휴대 전화 번호, 집 주소를 생각해 내는 것이에요. 길을 잃으면 놀라서 바로 기억나지 않을 수 있기 때문에 °차분하게 생각하는 시간을 가져야 해요. 마지막으로 할 일은 도움을 요청하는 것이에요. 휴대 전화가 없다면 °공중전화를 찾아 112번으로 전화를 걸어요. ┌─ ㉠ ─┐ 이/가 우리를 도와주러 오실 거예요. 만약 공중전화가 보이지 않는다면 가까운 가게에 들어가 도움을 구해요.

앞에서 말한 3단계 구호를 잘 기억한다면 길을 잃어도 다른 사람의 도움을 받을 수 있어요. 길을 잃으면 놀라고 당황하여 잊어버리기 쉬우니, °평소에 여러 번 °반복해서 잊지 않도록 연습해요.

낱말 뜻 풀이

- **산책**: 휴식을 취하거나 건강을 위해 천천히 걷는 일.
- **위험**: 해로움이나 손실이 생길 우려가 있음.
- **구호**: 어떤 요구나 주장 등을 간결한 형식으로 표현한 문구.
- **차분하게**: 마음이 가라앉아 조용하게.
- **공중전화**: 여러 사람들이 사용할 수 있도록 길거리나 일정한 장소에 설치한 전화.
- **평소**: 특별한 일이 없는 보통 때.
- **반복**: 같은 일을 되풀이함.

1

이 글에 알맞은 제목을 쓰세요.

제목   [   ] 을/를 잃었을 때는 이렇게 하세요.

2 다음 그림을 보고 길을 잃었을 때 생각해야 하는 3단계 구호의 순서대로 기호를 쓰세요.

적용

㉮ ㉯ ㉰

(   ) → (   ) → (   )

3 길을 잃었을 때 생각해 내야 하는 것이 <u>아닌</u> 것은 무엇인가요?

세부
내용

① 집 주소

② 자신의 이름

③ 엄마, 아빠의 이름

④ 엄마, 아빠 휴대 전화 번호

⑤ 자신이 가장 좋아하는 장난감

4 ㉠에 들어갈 알맞은 말을 쓰세요.

추론

5 길을 잃었을 때 하면 안 되는 행동 <u>두 가지</u>를 고르세요.

세부
내용

① 놀라서 엉엉 운다.

② 그 자리에 가만히 멈춘다.

③ 경찰관에게 도움을 부탁한다.

④ 엄마, 아빠의 이름을 생각한다.

⑤ 엄마, 아빠를 찾아 이리저리 돌아다닌다.

6 **3단계 구호를 평소에 연습해야 하는 까닭으로 알맞은 것에 ○표, 틀린 것에 ×표를 하세요.**

세부
내용

(1) 구호가 어렵기 때문이다. ( )

(2) 연습하는 것이 재미있기 때문이다. ( )

(3) 놀라서 잊어버릴 수 있기 때문이다. ( )

7 **이 글의 짜임을 생각하며, 빈칸에 알맞은 말을 쓰세요.**

글의
구조

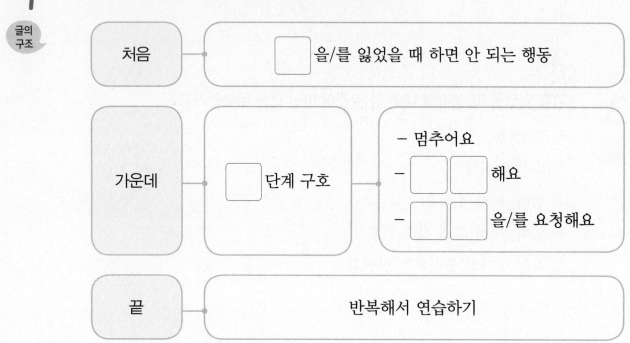

처음 ── ☐ 을/를 잃었을 때 하면 안 되는 행동

가운데 ── ☐ 단계 구호 ── – 멈추어요
── ☐☐ 해요
── ☐☐ 을/를 요청해요

끝 ── 반복해서 연습하기

생각 글 쓰기

🖊️ 길을 잃었을 때 제자리에 가만히 멈추어 있어야 하는 까닭은 무엇일까요?

01 다음 낱말에 알맞은 뜻을 찾아 선으로 이으세요.

(1) 구호 •

(2) 반복 •

(3) 위험 •

• ㉠ 같은 일을 되풀이함.

• ㉡ 해로움이나 손실이 생길 우려가 있음.

• ㉢ 어떤 요구나 주장 등을 간결한 형식으로 표현한 문구.

02 아래 상황에 알맞은 낱말을 찾아 빈칸에 쓰세요.

> 구호   반복   위험

(1)

불 가까이에서

[   ] 한 장난을

하지 말자.

(2)

피아노를 열심히

[   ] 하여

연습하였다.

매일 학습 평가	맞은 문제에 표시해 주세요.						맞은 개수
1 제목 ☐	2 적용 ☐	3 세부 내용 ☐	4 추론 ☐	5 세부 내용 ☐	6 세부 내용 ☐	7 글의 구조 ☐	개

스티커를
붙여 두세요

02회 17

길을 걷다 보면 신호등이나 횡단보도뿐만 아니라 많은 교통 표지판을 볼 수 있어요. 교통 표지판은 °안전하게 길을 걷고 자동차를 탈 수 있게 해 주어요. 우리는 안전을 위해 교통 표지판의 종류와 그 °의미를 알고 °교통 법규를 잘 지켜야 해요.

먼저 오른쪽과 같은 파란색 표지판은 '하세요' 표지판이에요. 표지판에 자전거가 그려져 있지요? 따라서 이 표지판은 ▨ 가 ▨ 이/가 지나다닐 수 있다는 것을 의미해요.

다음으로 표지판 중에는 '하지 마세요' 표지판이 있어요. '하지 마세요' 표지판은 왼쪽의 그림처럼 해서는 안 되는 일에 빨간 선으로 °금지 표시가 되어 있어요. 왼쪽의 표지판은 표지판이 세워진 길에서 자전거를 타고 다닐 수 없다는 뜻이에요.

마지막으로 표지판 중에는 °'주의하세요' 표지판이 있어요. '주의하세요' 표지판은 오른쪽 그림처럼 세모 모양으로 생겼어요. 길을 가다가 이 표지판을 보면 근처에 위험한 곳이 있다는 뜻이니 조심해야 해요.

교통 법규는 우리 모두가 지켜야 할 약속이에요. 약속을 잘 지켜야 안전한 생활을 할 수 있어요. 앞으로 교통 표지판을 °눈여겨보고 교통 법규를 잘 지키도록 해요.

📖 낱말 뜻 풀이 •••

• 안전: 위험하지 않은 편안한 상태.
• 의미: 어떤 말이나 글이 나타내고 있는 내용.
• 교통 법규: 사람이나 차가 길을 오갈 때 지켜야 할 사항을 정한 법령 및 규칙.

• 금지: 어떤 일이나 행동을 하지 못하게 함.
• 주의: 마음에 새겨 두고 조심함.
• 눈여겨보고: 주의 깊게 잘 살펴보고.

---

1 이 글에 알맞은 제목을 쓰세요.

제목 [ ][ ][ ][ ][ ] 의 종류와 의미

2

세부
내용

다음 빈칸에 알맞은 말을 쓰세요.

'주의하세요' 표지판은 〔　〕〔　〕 모양으로 생겼고, 노란색으로 칠해져 있어요.

3

세부
내용

다음 표지판 ㉠, ㉡에 대한 설명으로 알맞지 <u>않은</u> 것은 무엇인가요?

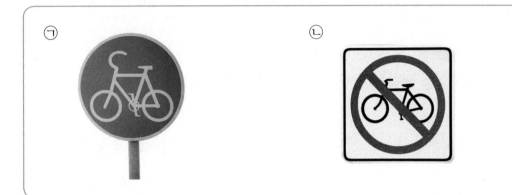

① ㉠이 있는 곳에서는 자전거를 탈 수 있다.

② ㉡은 '주의하세요' 표지판이다.

③ ㉠, ㉡ 모두 잘 지켜야 한다.

④ ㉠, ㉡ 모두 교통 표지판이다.

⑤ ㉠, ㉡ 모두 자전거에 대한 표지판이다.

4

추론

에 들어갈 알맞은 낱말을 쓰세요.

〔　〕〔　〕〔　〕

5

적용

다음 표지판의 종류는 무엇인가요?

㉠ '하세요' 표지판

㉡ '주의하세요' 표지판

㉢ '하지 마세요' 표지판

6 다음 빈칸에 알맞은 말을 쓰세요.

요약 교통 표지판에는 '하세요', '하지 마세요', '□□□□□' 표지판이 있

다. 교통 표지판 속 교통 법규를 잘 지키면 우리는 □□ 한 생활을 할 수 있다.

7 이 글의 짜임을 생각하며, 빈칸에 알맞은 말을 쓰세요.

글의 구조

처음	□□ 표지판의 의미와 종류를 알자.
가운데	– '□□□' 표지판 – '하지 마세요' 표지판 – '주의하세요' 표지판
끝	안전한 생활을 위해 교통 표지판 속 교통 법규를 지키자.

생각 글 쓰기

🖊우리가 교통 법규를 지키지 않으면 어떤 일이 일어날까요?

01 다음 낱말에 알맞은 뜻을 찾아 선으로 이으세요.

(1) 금지 •

(2) 안전 •

(3) 주의 •

• ㉠ 마음에 새겨 두고 조심함.

• ㉡ 위험하지 않은 편안한 상태.

• ㉢ 어떤 일이나 행동을 하지 못하게 함.

02 아래 상황에 알맞은 낱말을 찾아 빈칸에 쓰세요.

금지   안전   주의

(1)

이곳은
종이컵 사용이

☐ 되어 있다.

(2)

계단을
내려갈 때에는 항상

☐ 해야 한다.

매일 학습 평가	맞은 문제에 표시해 주세요.						맞은 개수	
1 제목 ☐	2 세부 내용 ☐	3 세부 내용 ☐	4 추론 ☐	5 적용 ☐	6 요약 ☐	7 글의 구조 ☐	개	

03회 21

우리는 주변에서 태권도를 배우는 친구들을 많이 볼 수 있어요. 태권도는 손과 발을 사용하여 상대의 몸통과 머리만을 공격하는 우리나라 전통 °무예예요. 태권도는 올림픽 종목으로 지정되었고, 지금은 전 세계의 많은 사람들이 태권도를 배우고 있어요.

'태권도'라는 말의 뜻을 알아볼까요? 먼저 '태'는 밟는다는 뜻으로, 발로 여러 가지 기술을 보인다는 뜻을 가지고 있어요. '권'은 주먹이라는 뜻으로, 태권도가 손을 사용한다는 것을 뜻해요. '도'는 길이나 °도리라는 뜻이에요. 우리가 지켜야 할 예절을 뜻하지요.

태권도를 배우는 친구들이 흰 °도복을 입고 지나가는 것을 본 적이 있을 거예요. 흰색 도복은 순수함을 나타내요. 도복 윗옷에는 띠를 매는데, 띠 색깔을 보면 태권도 실력이 얼마나 되는지, °목표가 무엇인지 쉽게 알 수 있어요. 태권도 도복을 갖추어 입는 것은 태권도를 집중해서 연습하게 도와줘요. 또한 도복뿐만 아니라 보호대를 바르게 착용해야 안전하게 태권도를 배울 수 있어요.

태권도를 배울 때는 °겸손한 마음을 지니는 것이 가장 중요해요. 태권도를 하면 친구들과 겨루면서 몸이 건강해지고, 함께 겨루는 친구들을 °존중하고 배려하는 마음을 배울 수 있어요.

낱말 뜻 풀이

• **무예:** 무도에 관한 재주.
• **도리:** 사람이 어떤 입장에서 마땅히 행하여야 할 바른길.
• **도복:** 유도나 태권도 등을 할 때 입는 운동복.
• **목표:** 목적으로 삼아 도달해야 할 곳.
• **겸손한:** 남을 존중하고 자기를 내세우지 않는 태도가 있는.
• **존중:** 높이어 귀중하게 대함.

1 이 글에 알맞은 제목을 쓰세요.

제목 ☐☐☐ (이)란 무엇일까요?

2 태권도에 대하여 바르게 말하지 <u>않은</u> 것은 무엇인가요?

세부
내용

① 도복 색깔이 흰색이다.

② 올림픽에서 볼 수 있다.

③ 우리나라 전통 무예이다.

④ '태권'은 주먹과 발을 뜻한다.

⑤ 상대의 다리를 공격할 수 있다.

3 '흰색 도복'이 뜻하는 것은 무엇인지 빈칸에 쓰세요.

세부
내용

4 태권도를 배울 때 지녀야 할 마음가짐으로 알맞지 <u>않은</u> 것은 무엇인가요?

세부
내용

① 겸손한 마음   ② 배려하는 마음

③ 존중하는 마음   ④ 잘난 척하는 마음

⑤ 예절을 지키는 마음

5 '태', '권', '도'에 알맞은 뜻을 찾아 선으로 이으세요.

세부
내용

(1) 태 •

(2) 권 •

(3) 도 •

 • ㉠

 • ㉡

 • ㉢

6 태권도를 안전하게 배우기 위하여 갖추어야 할 <u>두 가지</u>를 고르세요.

세부
내용

① 배낭   ② 보호대

③ 고무줄   ④ 운동화

⑤ 태권도 도복

7 이 글의 짜임을 생각하며, 빈칸에 알맞은 말을 쓰세요.

글의
구조

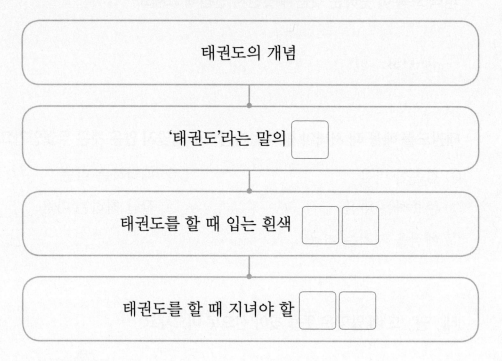

태권도의 개념

'태권도'라는 말의 ☐

태권도를 할 때 입는 흰색 ☐ ☐

태권도를 할 때 지녀야 할 ☐ ☐

🪰 **생각 글 쓰기**

🖊 친구들과 태권도를 하면 좋은 점은 무엇일까요?

어휘 다지기

01 다음 낱말에 알맞은 뜻을 찾아 선으로 이으세요.

(1) 겸손 •

• ㉠ 무도에 관한 재주.

(2) 목표 •

• ㉡ 목적으로 삼아 도달해야 할 곳.

(3) 무예 •

• ㉢ 남을 존중하고 자기를 내세우지 않는 태도가 있음.

02 아래 상황에 알맞은 낱말을 찾아 빈칸에 쓰세요.

겸손   목표   무예

(1)

택견은

우리나라의

전통 [   ]이다.

(2)

[   ]을/를

세우고

열심히 운동하였다.

매일 학습 평가	맞은 문제에 표시해 주세요.						맞은 개수	
1 제목 ☐	2 세부 내용 ☐	3 세부 내용 ☐	4 세부 내용 ☐	5 세부 내용 ☐	6 세부 내용 ☐	7 글의 구조 ☐	개	스티커를 붙여 주세요

04회 25

지민이는 '내 키는 매우 커.'라고 °표현하였고, 진호는 '내 키는 130센티미터야.'라고 표현하였어요. 누가 더 기억하기 쉽고 °정확하게 표현하였을까요? 진호가 숫자를 사용해서 떠올리기 더 쉽고 정확하게 표현하였어요. 이처럼 숫자를 사용하면 자신의 생각을 보다 정확하게 표현할 수 있어요. 숫자는 언제 처음 사용되었을까요?

옛날에는 나뭇가지나 조개껍데기 개수로 수를 나타내거나 동물의 뼈에 °금을 내어 수를 표현했어요. 하지만 이런 방법으로는 아주 큰 수를 셀 수 없었고, 수를 나타낼 때 시간이 오래 걸렸어요. 그래서 사람들은 수를 나타낼 다른 방법을 찾았어요.

가장 유명한 숫자는 지금부터 약 2600년 전에 생겨났다고 해요. 이 숫자는 °인도에서 °발명되었어요. 인도의 숫자가 전해지기 전에는 로마 숫자가 많이 쓰였어요. 하지만 사람들은 인도에서 만들어진 숫자가 더 편하다고 생각했어요. 특히 °아라비아 상인들이 유럽 사람들과 물건을 사고팔 때 인도에서 만들어진 숫자를 많이 사용했어요. 그래서 이 숫자가 전 세계적으로 [㉠] 사용될 수 있었어요.

우리가 알고 있는 숫자는 바로 인도인이 만들고 아라비아 상인들이 널리 퍼뜨린 것이에요. 그래서 0, 1, 2, 3, 4 등의 숫자를 인도-아라비아 숫자라고 불러요.

낱말 뜻 풀이

● **표현**: 생각이나 느낌 등을 언어나 몸짓 등의 형상으로 드러내어 나타냄.
● **정확**: 바르고 확실함.
● **금**: 접거나 긋거나 한 자국.

● **인도**: 아시아 남부, 인도반도 대부분을 차지하는 공화국.
● **발명**: 아직까지 없던 기술이나 물건을 새로 생각하여 만들어 냄.
● **아라비아**: 아시아 서남부 페르시아만, 인도양, 아덴만, 홍해에 둘러싸여 있는 지역.

---

1 **이 글에 알맞은 제목을 쓰세요.**

제목 ⬡ [ ][ ] 의 발명

2 숫자를 사용하면 좋은 점을 쓰세요.

세부
내용

☐ ☐ 하게 표현할 수 있다.

3 이 글에 대하여 바르게 말한 것은 무엇인가요?

세부
내용

① 우리가 쓰는 숫자는 요즘에 발명된 것이다.

② 가장 유명한 숫자는 아라비아에서 처음 발명되었다.

③ 우리가 쓰는 숫자를 인도-아라비아 숫자라고 부른다.

④ 가장 유명한 숫자를 널리 퍼뜨린 사람들은 인도 상인들이다.

⑤ 나뭇가지로 수를 나타내는 것이 숫자로 수를 나타내는 것보다 편리하다.

4 다음 그림이 나타내는 수를 인도-아라비아 숫자로 쓰세요.

적용

(1)	 조개껍데기 ☐ 개
(2)	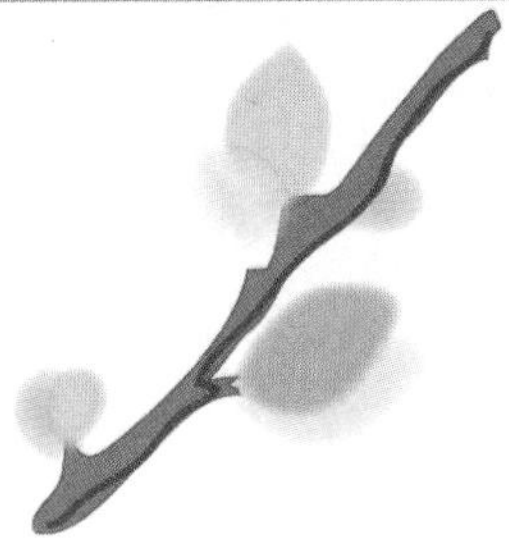 나뭇가지 ☐ 개

5 이 글의 내용에 맞게 다음 빈칸에 알맞은 말을 쓰세요.

요약

우리가 지금 쓰는 숫자는 ☐ ☐ (이)라는 나라에서 처음 발명되었고, 이후 아

라비아 ☐ ☐ 들이 전 세계에 퍼뜨렸다.

6 ㉠에 들어갈 알맞은 낱말은 무엇인가요?

어휘

① 금방　　　　　　　② 널리

③ 활짝　　　　　　　④ 일부러

⑤ 천천히

7 이 글의 내용을 생각하며, 빈칸에 알맞은 말을 쓰세요.

글의
구조

□□□□(이)나 조개껍데기로 수를 표현함.

인도에서 □□을/를 발명함.

□□□□ 상인들이 널리 퍼뜨림.

생각 글 쓰기

✏️ 나뭇가지나 조개껍데기로 숫자를 나타낼 때의 문제점은 무엇일까요?

어휘 다지기

01 다음 낱말에 알맞은 뜻을 찾아 선으로 이으세요.

(1) 금 •

• ㉠ 바르고 확실함.

(2) 발명 •

• ㉡ 접거나 긋거나 한 자국.

(3) 정확 •

• ㉢ 아직까지 없던 기술이나 물건을 새로 생각하여 만들어 냄.

02 아래 상황에 알맞은 낱말을 찾아 빈칸에 쓰세요.

금   발명   표현

(1)

건물 벽에

[   ]이

갔다.

(2)

마음을

[   ]하려고

꽃을 주었다.

매일 학습 평가	맞은 문제에 표시해 주세요.						맞은 개수	
1 제목 ☐	2 세부 내용 ☐	3 세부 내용 ☐	4 적용 ☐	5 요약 ☐	6 어휘 ☐	7 글의 구조 ☐	개	스티커를 붙여 두세요

05회 **29**

06회 설명문 | 기술

사람들이 날마다 사용하는 휴대 전화는 아주 오래된 물건은 아니에요. 30년 전만 해도 사람들은 선 없는 전화기로 전화한다는 것을 상상할 수 없었어요. 하지만 °통신 기술이 빠르게 °발달해서 이제는 선 없는 전화기, 즉 휴대 전화가 널리 사용되고 있어요.

처음 만들어진 휴대 전화는 지금의 휴대 전화처럼 여러 가지 °기능을 가지고 있지 않았어요. 엄청나게 큰 벽돌 모양의 전화기에 전화 기능만을 가지고 있었어요. 그때에는 이것도 엄청난 기술이어서 사람들은 신기해했어요.

시간이 지나면서 휴대 전화는 점점 작아지고 더많은 기능이 생겼어요. 휴대 전화에 달린 글자판으로 문자 메시지를 주고받을 수 있게 되었고, 카메라가 달려서 사진도 찍을 수 있게 되었어요. 또,멀리 떨어진 사람과 얼굴을 보면서 전화를 할 수도있게 되었어요.

하지만 가장 큰 °변화는 휴대 전화로 컴퓨터를 쓰는 것처럼 자유롭게 인터넷을 사용할수 있게 된 것이지요. 인터넷 덕분에 우리는 컴퓨터를 쓸 때와 똑같이 휴대 전화로 여러가지를 °검색하고, 동영상을 보고, 음악을 듣고, 친구에게 사진을 보낼 수 있게 되었어요. 이렇게 컴퓨터와 같은 기능을 가진 휴대 전화를 스마트폰이라고도 불러요.

낱말 뜻 풀이

- **통신**: 우편이나 전신, 전화 등으로 정보나 의사를 전달함.
- **발달**: 학문, 기술, 문명, 사회 등의 현상이 보다 높은 수준에 이름.
- **기능**: 하는 구실이나 작용을 함. 또는 그런 것.
- **변화**: 사물의 성질, 모양, 상태 등이 바뀌어 달라짐.
- **검색**: 책이나 컴퓨터에서, 목적에 따라 필요한 자료들을 찾아내는 일.

1 **이 글에 알맞은 제목을 쓰세요.**

제목 ☐☐☐☐ 의 발달

2 이 글을 쓴 까닭은 무엇인가요?

전개 방식

① 휴대 전화를 언제 써야 하는지 알려 주려고
② 휴대 전화가 어떻게 움직이는지 알려 주려고
③ 휴대 전화가 어떻게 변화했는지 알려 주려고
④ 휴대 전화를 어디에서 살 수 있는지 알려 주려고
⑤ 학교에서 휴대 전화를 쓰면 안 된다는 생각을 말하려고

3 휴대 전화가 변화한 가장 큰 까닭은 무엇인가요?

세부 내용

 기술이 발달했기 때문이다.

4 컴퓨터와 같은 기능을 가진 휴대 전화를 가리키는 말을 쓰세요.

세부 내용

☐☐☐☐

5 스마트폰으로 할 수 <u>없는</u> 일은 무엇인가요?

적용

① 재미있는 동영상 찾아보기
② 내일 챙길 준비물 메모하기
③ 맛있는 음식 냄새 전달하기
④ 반 친구들에게 한꺼번에 사진 보내기
⑤ 소풍 가서 엄마, 아빠와 얼굴 보고 통화하기

6 휴대 전화의 발달에 대하여 다음 빈칸에 알맞은 말을 쓰세요.

요약

휴대 전화의 ☐☐ 은/는 작아지고, ☐☐ 은/는 많아졌다.

7 이 글의 내용을 생각하며, 빈칸에 알맞은 말을 쓰세요.

글의
구조

☐ 있는 전화기

⬇

☐☐ 모양의 휴대 전화

⬇

작고 기능이 많아진 휴대 전화

⬇

스마트폰

생각 글 쓰기

✏ 과거에 벽돌 모양의 휴대 전화를 들고 다녔을 때 불편한 점은 무엇이었을까요?

01 다음 낱말에 알맞은 뜻을 찾아 선으로 이으세요.

(1) 기능 •

(2) 발달 •

(3) 변화 •

• ㉠ 하는 구실이나 작용을 함. 또는 그런 것.

• ㉡ 사물의 성질, 모양, 상태 등이 바뀌어 달라짐.

• ㉢ 학문, 기술, 문명, 사회 등의 현상이 보다 높은 수준에 이름.

02 아래 상황에 알맞은 낱말을 찾아 빈칸에 쓰세요.

기능   변화   통신

(1)

리모컨에는

많은 ☐☐☐☐ 이/가

있다.

(2)

산에서는

☐☐☐☐ 이/가

잘 되지 않는다.

우리가 날마다 마시는 물의 여러 가지 모습을 알고 있나요? 물을 시원하게 먹고 싶을 때에는 냉동실에 얼리기도 하고, 따뜻하게 마시고 싶을 때에는 주전자에 담아 끓이기도 해요. 이럴 때마다 물은 다양한 °형태로 변하지요.

먼저 우리가 날마다 마시는 '물'의 형태를 '°액체'라고 불러요. 액체인 물은 담겨 있는 컵이나 °용기에 따라 모습이 바뀌기도 하고, 바닷가나 계곡에서는 졸졸 흐르기도 해요. 바닷물도 액체 상태의 물인데, 지구의 많은 부분이 액체 상태의 바닷물로 이루어져 있어요.

다음으로, 물을 냉동실에 얼리면 차갑고 딱딱한 '얼음'이 돼요. 이런 형태를 '°고체'라고 불러요. 얼음은 다른 컵으로 옮겨 담아도 모양이 변하지 않아요. 하지만 따뜻한 곳에서는 다시 녹아서 물로 바뀌게 되지요.

마지막으로 물이 끓으면 '°수증기'가 돼요. 부엌에서 주전자에 물을 끓일 때 하얀 연기가 나는 것 같은 모습을 본 적 있나요? 이것은 물이 공기 중으로 날아가며 생기는 모습이에요. 물은 아주 뜨거워지면 수증기가 되어 °공중으로 흩어지는데, 이러한 물의 형태를 '기체'라고 해요.

낱말 뜻 풀이

• **형태**: 사물의 생김새나 모양.
• **액체**: 일정한 형태를 가지지 못한 물질.
• **용기**: 물건을 담는 그릇.
• **고체**: 쉽게 변형되지 않는 물질의 상태.
• **수증기**: 기체 상태로 되어 있는 물.
• **공중**: 하늘과 땅 사이의 빈 곳.

---

1 **이 글에 알맞은 제목을 쓰세요.**

제목 ☐ 의 여러 가지 모습

2
전개
방식

이 글에서 설명하는 내용이 <u>아닌</u> 것은 무엇인가요?

① 여러 가지 물의 모습

② 액체일 때 물의 특징

③ 고체일 때 물의 특징

④ 기체일 때 물의 특징

⑤ 얼음이 녹지 않게 하는 방법

3
세부
내용

물에 대한 설명으로 알맞은 것은 무엇인가요?

① 쉽게 볼 수 없다.

② 얼리면 수증기가 된다.

③ 모습이 언제나 변하지 않는다.

④ 지구의 많은 부분을 이루고 있다.

⑤ 바다에 있는 물은 얼음 같은 고체이다.

4
추론

물의 여러 가지 모습 가운데 가장 차가운 것을 부르는 말을 쓰세요.

☐☐

5
추론

물의 모습이 어떻게 변하는지 빈칸에 알맞은 말을 쓰세요.

차가운 ☐☐ 이/가 녹으면 ☐ 이/가 되고, 물이 끓으면 ☐☐☐
이/가 된다.

6 다음 그림에 어울리는 말은 무엇인가요?

어휘

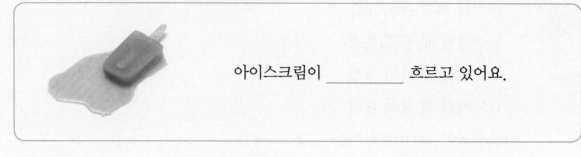

아이스크림이 _____ 흐르고 있어요.

① 얼어서   ② 녹아서   ③ 끓어서

④ 미끄러져서   ⑤ 연기가 나서

7 이 글의 짜임을 생각하며, 빈칸에 알맞은 말을 쓰세요.

글의
구조

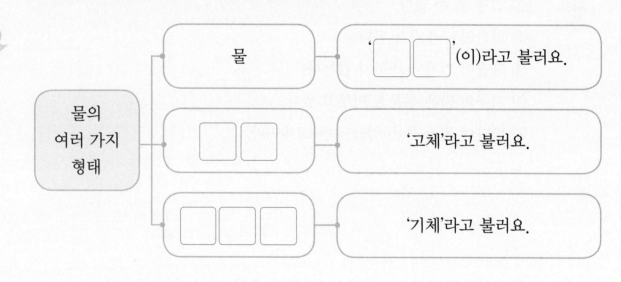

물의
여러 가지
형태

물 ────── '☐☐'(이)라고 불러요.

☐☐ ────── '고체'라고 불러요.

☐☐☐ ────── '기체'라고 불러요.

🪰 **생각 글 쓰기**

✏️ 물의 모습이 변하는 것은 언제일까요?

어휘 다지기

01 다음 낱말에 알맞은 뜻을 찾아 선으로 이으세요.

(1) 공중 •

(2) 수증기 •

(3) 형태 •

• ㉠ 사물의 생김새나 모양.

• ㉡ 하늘과 땅 사이의 빈 곳.

• ㉢ 기체 상태로 되어 있는 물.

02 아래 상황에 알맞은 낱말을 찾아 빈칸에 쓰세요.

| 공중　　수증기　　형태 |

(1)

주전자에서

[　　　　　] 이/가

피어 올랐다.

(2)

연기가

[　　　　　] 에

흩어졌다.

한글 짝! 한글 쿵!

한글이랑 놀아요 한글 짝 한글 쿵

굽혀 굽혀 허리 굽혀 기역 짝 기역 쿵

*착착 착착 다리 벌려 시옷 짝 시옷 쿵

*돌돌 돌돌 동그라미 [가] 짝 [가] 쿵

*짝짝 쿵쿵쿵 재미있는 한글 한글 쿵 야!

– 박수진

낱말 뜻 풀이 ● ─

● **착착**: 질서가 정연하게 조화를 이루어 행동하는 모양.

● **돌돌**: 작은 물건이 여러 겹으로 동글하게 말리는 모양.

● **짝짝**: 손뼉을 자꾸 치는 소리.

---

1 이 노래는 무엇에 관한 노래인가요?

소재 [ ] [ ]

2 다음 보기 에서 나타내는 자음자는 무엇인가요?

추론 보기

구불구불 기어가는 _____ 짝 _____ 쿵

① ㅊ(치읓)　　　② ㅍ(피읖)　　　③ ㄹ(리을)

④ ㄱ(기역)　　　⑤ ㅌ(티읕)

▼ 정답과 해설 8쪽

3

세부
내용

다음 자음자의 이름을 보고 그 모양을 찾아 선으로 이으세요.

(1) 기역 •

(2) 시옷 •

(3) 이응 •

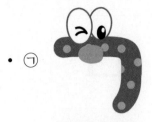
• ㉠

• ㉡

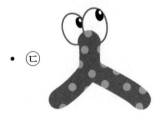
• ㉢

4

적용

다음 그림을 나타내는 낱말 중 ㉮에 들어갈 자음자가 들어 있지 <u>않은</u> 것을 고르세요.

①

②

③

④

⑤

5 다음 자음자의 이름을 쓰세요.

적용

(1)

ㅁ

⬜⬜

(2)

ㅈ

⬜⬜

(3)

ㅎ

⬜⬜

6 이 노랫말과 보기 를 읽었을 때, 빈칸에 알맞은 낱말은 무엇인가요?

추론

보기

가재가 가가가 춤을 춰요 가가가

우가가 우가가 가!

나비가 나나나 나풀나풀 나나나

나나나 나나나 나!

다람쥐가 다다다 달려가요 다다다

다다다 다다다 다!

— 「가나다 말놀이」

이 노래와 보기 는 모두 한글을 알려 주는 노래예요. 「한글 짝! 한글 쿵!」과 다르게 보기 는 '가, 나, 다' ⬜⬜ 대로 자음자가 나오고 있어요.

① 기분   ② 느낌   ③ 마음   ④ 순서   ⑤ 쓰임

🪰 **생각 글 쓰기**

🖊 자음자 '시옷'으로 시작하는 낱말 다섯 개를 쓰세요.

01 다음 낱말에 알맞은 뜻을 찾아 선으로 이으세요.

(1) 돌돌 •

(2) 짝짝 •

(3) 착착 •

• ㉠ 손뼉을 자꾸 치는 소리.

• ㉡ 질서가 정연하게 조화를 이루어 행동하는 모양.

• ㉢ 작은 물건이 여러 겹으로 동글하게 말리는 모양.

02 아래 상황에 알맞은 낱말을 찾아 빈칸에 쓰세요.

돌돌   짝짝   착착

(1)

도화지를

[   ] 말아

보관했다.

(2)

군악대의

발걸음이

[   ] 맞았다.

오늘도 선생님은 내 쓰기 공책에 빨간색 °표시를 하고 소리를 질렀어요. 정말 띄어쓰기 따위는 모두 없어져 버렸으면 좋겠어요! 띄어쓰기는 진짜진짜 어려워요! 꼭 글자를 띄어 써야 하나요?

"틀렸어! 이것도 틀렸잖아! 몇 살인데 아직도 띄어쓰기 하나 제대로 못 하니? 다시 써 봐!"

이번엔 엄마가 내 쓰기 공책을 보고 버럭 소리를 질렀어요. 나는 씩씩거리며 한 글자씩 써 내려갔어요.

㉠'엄마 가방에 들어가신다.'

눈을 부릅뜨고 지켜보던 엄마가 여행용 가방 속으로 들어가 버렸어요. 엄마가 뭐라고 소리치는데, 잘 안 들려요.

"야, 틀렸잖아. 제대로 안 쓰면 읽는 사람이 °곤란해진다고. 빨리 다시 써 봐!"

소파에 앉아 있던 아빠가 말했어요. 〈중략〉

나는 다시 연필을 잡고 한 글자씩 써 나갔어요.

㉡'아빠 °가죽을 드신다.'

아빠가 가죽 허리띠를 °우적우적 씹어 먹었어요. 나는 너무너무 웃겨서 바닥에서 데굴데굴 구르며, 배를 잡고 깔깔 웃었어요.

― 박규빈, 「왜 띄어 써야 해?」

여행용가방

낱말 뜻 풀이

● 표시: 표를 하여 외부에 드러내 보임.
● 곤란해진다고: 사정이 몹시 딱하고 어려워진다고.

● 가죽: 동물의 몸에서 벗겨 낸 껍질을 가공해서 만든 물건.
● 우적우적: 단단하고 질긴 물체를 마구 깨물어 씹을 때 나는 소리.

---

1 이 글의 주제에 맞게 빈칸에 알맞은 말을 쓰세요.

주제 ☐☐☐☐ 은/는 중요해요.

2 이 글의 '나'에 대하여 바르게 말하지 <u>않은</u> 것은 무엇인가요?

인물

① '나'는 띄어쓰기를 어려워하고 싫어한다.

② '나'는 가죽 허리띠를 먹는 아빠를 보고 웃었다.

③ '나'의 엄마는 내 쓰기 공책을 보고 가방에 들어가셨다.

④ '나'는 띄어쓰기를 틀려서 공책에 빨간색 표시가 있다.

⑤ '나'는 띄어쓰기를 잘해서 엄마, 아빠에게 칭찬을 들었다.

3 여행용 가방에 들어간 엄마를 구하기 위해 ⊙을 바르게 고쳐 쓰세요.

적용

4 띄어쓰기를 제대로 하지 않으면 읽는 사람이 어떻게 될까요?

세부
내용

① 글을 큰 소리로 읽게 된다.

② 뜻을 알 수 없어 곤란해진다.

③ 뜻을 알 수 있어 보기 쉬워진다.

④ 문장이 짧아져 빨리 읽을 수 있게 된다.

⑤ 다른 나라 말이 되어서 아예 읽을 수 없게 된다.

5 ⊙을 보고, 아빠는 원래 무엇을 드시고 계셨을지 쓰세요.

추론

6~7 [보기]를 보고 물음에 답하세요.

> [보기]
>
> 오늘밤나무를산다.

6

적용

[보기]의 문장을 두 가지 방법으로 띄어 쓰세요.

(1) □□ □□□□ □□ .

(2) □□ □ □□□ □□ .

7

추론

6번에 쓴 답에 대한 설명으로 알맞은 것은 무엇인가요?

① (1)은 내일 나무를 산다는 내용이다.

② (1)을 보면 어떤 나무인지 알 수 없다.

③ (2)를 보면 어떤 나무인지 알 수 있다.

④ (2)는 오늘 낮에 나무를 산다는 내용이다.

⑤ (1), (2) 모두 오늘 무엇인가를 산다는 내용이다.

생각 글 쓰기

✏ 우리가 띄어쓰기를 하지 않으면 어떻게 될까요?

01 다음 낱말에 알맞은 뜻을 찾아 선으로 이으세요.

(1) 가죽 •

(2) 곤란 •

(3) 표시 •

• ㉠ 사정이 몹시 딱하고 어려움.

• ㉡ 표를 하여 외부에 드러내 보임.

• ㉢ 동물의 몸에서 벗겨 낸 껍질을 가공해서 만든 물건.

02 아래 상황에 알맞은 낱말을 찾아 빈칸에 쓰세요.

가죽   곤란   표시

(1)

[   ](으)로 만든 가방은 튼튼하다.

(2)

나뭇가지에 리본으로 지나온 길을 [   ]했다.

매일 학습 평가 맞은 문제에 표시해 주세요.

1 주제	2 인물	3 적용	4 세부 내용	5 추론	6 적용	7 추론	맞은 개수
☐	☐	☐	☐	☐	☐	☐	개

스티커를 붙여 주세요

09회 45

벌아 벌아 꿀 떠라

˚벌아 벌아 ˚꿀 ˚떠라
˚연달래 꽃 줄까
˚지게달래 꽃 줄까

벌아 벌아 꿀 떠라
연달래 꽃 줄까
지게달래 꽃 줄까

낱말 뜻 풀이

- **벌:** 꿀벌과의 곤충.
- **꿀:** 꿀벌이 꽃에서 빨아들여 벌집 속에 모아 두는, 달콤하고 끈끈한 액체.
- **떠라:** 어떤 곳에 담겨 있는 물건을 퍼내거나 덜어 내라.
- **연달래:** '철쭉'의 방언.
- **지게달래:** '진달래'의 방언.

1

추론

이 노랫말이 가장 잘 어울리는 계절은 무엇인가요?

① 봄
② 여름
③ 가을
④ 겨울
⑤ 없다.

2

배경

이 노랫말을 부르기 알맞은 곳은 어디인가요?

① 들판

② 바다

③ 호수

④ 과학실

⑤ 미술관

3

표현

다음 빈칸에 알맞은 말을 쓰세요.

이 노랫말은 똑같은 내용이 [ ] 번 반복되고 있어요.

4

감상

이 노랫말을 읽고 느낄 수 있는 분위기는 어떠한가요?

① 그립다.

② 무섭다.

③ 즐겁다.

④ 시끄럽다.

⑤ 안타깝다.

5

어휘

이 노랫말에 나온 '꿀'과 '꽃'에 모두 나타난 자음자의 이름을 쓰세요.

[ ][ ][ ]

6~7 이 노랫말과 다음 보기 를 읽고 물음에 답하세요.

> 보기
>
> 가자 가자 가자 감나무
> 오자 오자 오자 옻나무
> 십 리 절반 ☐☐ 나무
> 열아홉 다음에 스무나무
> 〈후략〉
>
> – 「가자 가자 감나무」

6

추론

보기 의 빈칸에 들어갈 알맞은 말을 쓰세요.

☐☐

7

세부
내용

이 노랫말과 보기 의 노랫말을 비교한 내용으로 빈칸에 알맞은 말을 쓰세요.

「벌아 벌아 꿀 떠라」는 벌에게 ☐ 의 꿀을 뜨라고 말하는 노랫말이고, 「가자가자

감나무」는 여러 가지 ☐☐ 의 이름을 재미있게 나타낸 노랫말이다.

생각 글 쓰기

🖊 벌이나 나비가 꽃의 꿀을 먹는 대신 꽃에게 해 주는 일은 무엇일까요?

01 다음 낱말에 알맞은 뜻을 찾아 선으로 이으세요.

(1) 꿀 •

• ㉠ 꿀벌과의 곤충.

(2) 뜨다 •

• ㉡ 어떤 곳에 담겨 있는 물건을 퍼내거나 덜어내다.

(3) 벌 •

• ㉢ 꿀벌이 꽃에서 빨아들여 벌집 속에 모아 두는, 달콤하고 끈끈한 액체.

02 아래 상황에 알맞은 낱말을 찾아 빈칸에 쓰세요.

> 꿀   벌   연달래

(1)

빵에
달콤한 [   ]을/를
부어 먹었다.

(2)

[   ]이/가
꽃에
앉아 있다.

매일 학습 평가	맞은 문제에 표시해 주세요.						맞은 개수
1 추론 ☐	2 배경 ☐	3 표현 ☐	4 감상 ☐	5 어휘 ☐	6 추론 ☐	7 세부 내용 ☐	개

스티커를
붙여 주세요

10회 49

2 단계

이해력을 키우는 재미있는 독해

❀ 자신의 학습 능력과 상황에 따라 꾸준하게 공부하는 것이 가장 중요합니다.

❀ 학습 계획을 먼저 세우고, 스스로 지킬 수 있도록 노력해 보세요.

				학습할 날짜	
11회	우리나라를 대표하는 옷, 한복	설명문	예술	월	일
12회	나무가 주는 이로움	설명문	과학	월	일
13회	공룡의 생김새 탐구	설명문	과학	월	일
14회	전기로 가는 자동차의 좋은 점	논설문	기술	월	일
15회	비교란 무엇일까요?	설명문	인문	월	일
16회	컴퓨터로 그림을 그리는 화가	설명문	예술	월	일
17회	도움이 필요한 이웃을 도와주어요	논설문	사회	월	일
18회	공 튀는 소리	문학	동시	월	일
19회	슈퍼 거북	문학	동화	월	일
20회	곰을 만난 두 친구	문학	우화	월	일

한복은 우리나라를 대표하는 옷이에요. 또한 우리나라 °고유의 옷이기도 해요. 오래전부터 우리나라 사람들은 한복을 입어 왔어요. 우리는 주로 설날, 추석과 같은 °명절에 한복을 입지만 옛날 사람들은 한복을 날마다 입고 지냈어요. 그래서 몸에 꽉 끼지 않고 움직이기에 편한 모양으로 옷을 만들었지요.

남자 한복과 여자 한복은 옷의 생김새가 조금 달라요. 남자는 윗도리로 저고리를, 아랫도리로 바지를 입었어요. 여자는 윗도리로 저고리를 입고 아랫도리로는 치마를 입었어요. 여자 한복의 저고리는 남자 한복의 저고리에 비해 길이가 짧았어요. 하지만 옷고름의 길이는 남자 한복에 달린 것보다 더 길었어요. 남자 한복과 여자 한복이 비슷한 점도 있어요. 일본과 중국을 대표하는 옷은 원피스처럼 위아래의 옷이 하나로 이어져 있지만, 우리나라의 한복은 남자 한복과 여자 한복 모두 윗도리와 아랫도리가 나뉜다는 특징이 있어요.

오늘날에는 한복을 입고 °생활하는 사람들이 많지 않아요. 하지만 명절뿐만 아니라 평소에도 편하게 입을 수 있는 °개량 한복이 °개발되어 한복을 입는 사람들이 점점 많아지고 있어요.

낱말 뜻 풀이 ⦁⦁⦁⦁⦁⦁⦁⦁⦁⦁⦁⦁⦁

• **고유:** 어느 물건만이 특별히 가지고 있거나 갖추고 있는 것.
• **명절:** 해마다 일정하게 지키어 즐기거나 기념하는 때.
• **생활:** 사람이 일정한 환경에서 활동하며 살아감.

• **개량 한복:** 전통적인 한복에 변화를 주어 활동하기에 편하도록 만든 한복.
• **개발:** 새로운 물건을 만들거나 새로운 생각을 내어 놓음.

1 이 글에 알맞은 제목을 쓰세요.

제목 우리나라를 대표하는 옷, ☐☐

2 한복에 대하여 바르게 말한 것은 무엇인가요?

① 몸에 꽉 끼어 움직일 때 불편하다.

② 우리나라를 대표하는 고유의 옷이다.

③ 남자 한복과 여자 한복은 모양이 같다.

④ 오늘날에도 많은 사람들이 날마다 한복을 입고 지낸다.

⑤ 원피스처럼 저고리와 치마나 바지가 하나로 이어져 있다.

3 한복의 모습으로 알맞은 것은 무엇인가요?

① 　② 　③

④ 　⑤

4 여자 한복과 남자 한복을 비교했을 때 알맞은 것에 ○표를 하세요.

(1) 여자 한복의 저고리는 남자 한복의 저고리에 비해 길이가 (길다 / 짧다).

(2) 여자 한복의 옷고름은 남자 한복의 옷고름에 비해 길이가 (길다 / 짧다).

5 이 글의 내용을 생각하며 빈칸에 알맞은 말을 쓰세요.

추론

> 한복을 만드는 사람들은 여러 사람들이 명절뿐만 아니라 평소에도 편하게 한복을 입고 생활할 수 있도록 ☐☐ 한복을 개발하였다.

6 이 글을 읽고 한 말로 알맞지 <u>않은</u> 것은 무엇인가요?

추론

> ㉠ 여자 한복과 남자 한복은 다르구나.
>
> ㉡ 개량 한복은 중국을 대표하는 옷을 고쳐 만든 것이구나.
>
> ㉢ 일본을 대표하는 옷은 윗옷과 아래옷으로 나뉘어져 있지 않구나.

7 이 글의 짜임을 생각하며, 빈칸에 알맞은 말을 쓰세요.

글의
구조

처음	우리나라를 대표하는 옷인 ☐☐
가운데	여자 한복과 ☐☐ 한복의 차이점
끝	오늘날에 새로 만들어진 개량 한복

생각 글 쓰기

✏️ 오늘날 사람들이 명절이 아닌 날에도 한복을 입게 된 까닭은 무엇일까요?

어휘 다지기

01 다음 낱말에 알맞은 뜻을 찾아 선으로 이으세요.

(1) 개발 •   • ㉠ 사람이 일정한 환경에서 활동하며 살아감.

(2) 고유 •   • ㉡ 새로운 물건을 만들거나 새로운 생각을 내어 놓음.

(3) 생활 •   • ㉢ 어느 물건만이 특별히 가지고 있거나 갖추고 있는 것.

02 아래 상황에 알맞은 낱말을 찾아 빈칸에 쓰세요.

> 개량 한복   고유   생활

(1)

나는

학교 [   ] 이/가

즐겁다.

(2)

김치는

우리나라 [   ] 의

음식이다.

매일 학습 평가   맞은 문제에 표시해 주세요.   맞은 개수

1 제목	2 세부 내용	3 적용	4 세부 내용	5 추론	6 추론	7 글의 구조	
☐	☐	☐	☐	☐	☐	☐	개

스티커를 붙여 주세요

11회 55

길거리나 공원 그리고 산에는 많은 나무가 있어요. 우리는 어디에서나 나무를 볼 수 있기 때문에 나무가 주는 이로움을 잊고 지낼 때가 많아요. 하지만 나무는 우리에게 많은 이로움을 주고 있어요.

⑦ 나무는 동물과 식물의 °보금자리가 되기도 하고, 먹이가 되기도 해요. 새는 나무에 둥지를 만들고, 곤충들은 나뭇잎과 열매를 먹으면서 살아요. 나무는 우리가 숨을 쉴 수 있도록 깨끗한 공기도 만들어 주어요. 나무가 숨을 쉬면 우리에게 필요한 맑은 공기가 만들어져요. 또한 나무의 뿌리는 땅속에 깊이 묻혀 있는데, 이 뿌리들은 비가 많이 올 때 물을 °머금어 °홍수가 나지 않도록 해 주어요.

④ 우리는 나무가 나무일 때도 많은 이로움을 얻지만, 나무를 °베어서도 많은 이로움을 얻어요. 나무를 °이용하면 많은 물건을 만들 수 있어요. 우리가 공부할 때 사용하는 책상이나 연필은 모두 나무를 자르고 깎아서 만든 물건이에요. 나무를 잘게 자르면 종이나 휴지를 만들 수도 있어요.

이렇게 나무가 주는 이로움을 더 오랫동안 누리고 싶다면 나무를 °소중하게 다루어야 해요. 책상에 낙서하거나 상처를 내지 않고, 짧은 연필도 아껴서 사용하면 베이는 나무의 양을 줄일 수 있어요. 또한 쓰고 남은 색종이를 잘 °보관하고, 휴지를 °필요한 만큼만 사용하면 나무를 지켜 줄 수 있어요. 마지막으로 길가에 서 있는 나무를 발로 차거나 나무 밑에 쓰레기를 버리지 않는 것도 나무를 보호하는 일이에요.

낱말 뜻 풀이

- **보금자리**: 지내기에 매우 포근하고 아늑한 곳을 이르는 말.
- **머금어**: 나무나 물 등이 빗물이나 이슬 같은 물기를 지녀.
- **홍수**: 비가 많이 와서 강이나 개천에 갑자기 크게 불은 물.
- **베어서도**: 날이 있는 연장 등으로 무엇을 끊거나 자르거나 갈라서도.
- **이용**: 물건을 필요에 따라 이롭게 씀.
- **소중하게**: 매우 귀중하게.
- **보관**: 물건을 맡아서 간직하고 관리함.
- **필요한**: 반드시 달라고 청하는 바가 있는.

1 이 글에 알맞은 제목을 쓰세요.

제목

☐☐ (이)가 주는 이로움

2 나무가 주는 도움으로 알맞지 <u>않은</u> 것은 무엇인가요?

세부
내용

① 깨끗한 공기를 만들어 준다.

② 종이나 휴지를 만들 때 쓰인다.

③ 책상이나 연필을 만들 때 쓰인다.

④ 비가 올 때 비가 내리지 않게 해 준다.

⑤ 동물과 식물의 보금자리와 먹이가 된다.

3 비가 많이 올 때 나무가 물을 머금는 곳은 어디인지 쓰세요.

세부
내용

☐☐

4 ㉮와 ㉯의 차이점으로 알맞은 말을 빈칸에 쓰세요.

전개
방식

㉮는 ☐☐ 이/가 나무일 때 주는 이로움을 설명하였고, ㉯는 나무를 베어서

☐☐ 을/를 만들 때 얻는 이로움을 설명하였다.

5 나무를 소중하게 다루는 방법으로 알맞지 <u>않은</u> 것을 고르세요.

적용

① 책상에 낙서를 한다.

② 나무를 발로 차지 않는다.

③ 나무 밑의 쓰레기를 줍는다.

④ 짧은 연필을 끝까지 사용한다.

⑤ 쓰고 남은 색종이를 잘 보관한다.

6 나무를 소중하게 다루어야 하는 까닭을 잘못 말한 사람은 누구인지 쓰세요.

추론

- 민지: 나무로 만든 물건을 마구 쓰고 싶기 때문이야.
- 도영: 동물과 식물의 보금자리를 지켜 주어야 하기 때문이야.
- 서준: 나무가 주는 이로움을 더 오랫동안 누리고 싶기 때문이야.

7 이 글의 짜임을 생각하며, 빈칸에 알맞은 말을 쓰세요.

글의
구조

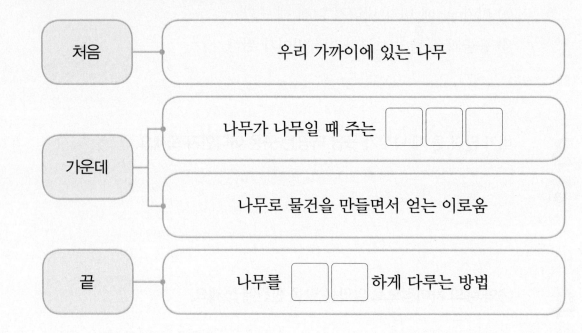

처음 ── 우리 가까이에 있는 나무

가운데 ── 나무가 나무일 때 주는 [ ][ ][ ]

── 나무로 물건을 만들면서 얻는 이로움

끝 ── 나무를 [ ][ ]하게 다루는 방법

생각 글 쓰기

✏ 우리 주변에 나무와 풀이 없다면 어떻게 될까요?

어휘 다지기

01 다음 낱말에 알맞은 뜻을 찾아 선으로 이으세요.

(1) 보관 •

(2) 이용 •

(3) 홍수 •

• ㉠ 물건을 필요에 따라 이롭게 씀.

• ㉡ 물건을 맡아서 간직하고 관리함.

• ㉢ 비가 많이 와서 강이나 개천에 갑자기 크게 불은 물.

02 아래 상황에 알맞은 낱말을 찾아 빈칸에 쓰세요.

보관   보금자리   이용

(1)

나의

□□□□□ 은/는

우리 집이다.

(2)

학교 도서관은
학교 학생들이

□□□□□ 할 수 있다.

매일 학습 평가   맞은 문제에 표시해 주세요.

1 제목	2 세부 내용	3 세부 내용	4 전개 방식	5 적용	6 추론	7 글의 구조	맞은 개수
☐	☐	☐	☐	☐	☐	☐	개

스티커를
붙여 두세요

12회   59

아주 오래전 지구에는 공룡이 살았어요. 하지만 이제 더 이상 공룡은 지구에 살지 않아요. 우리는 공룡을 실제로 보지 못했지만, 장난감이나 영화를 통해서 공룡의 모습을 보아 왔어요. 장난감과 영화 속 공룡의 모습은 과학자들이 지구에 남아 있는 공룡의 °흔적만을 가지고 상상한 모습이에요. 과학자들이 어떻게 공룡의 모습을 상상하는지 알아볼까요?

먼저 공룡의 발자국이나 °화석을 °탐구하여 공룡의 모습을 헤아려 봐요. 돌에 남아 있는 공룡 발자국이나 화석의 크기를 보고 공룡의 원래 크기를 상상할 수 있어요. 또한 네 발로 걸었는지 두 발로 걸었는지도 알 수 있지요. 날개가 있어 하늘을 날아 다녔는지, 뿔이 있었는지도 이러한 흔적을 통해 알 수 있어요.

두 번째로 공룡 발자국이 찍힌 흙을 °검사해요. 공룡 발자국이 남아 있는 돌이나 화석을 검사하면 공룡이 어떤 풀을 먹고 살았는지, 공룡이 사는 곳의 모습은 어땠는지 알 수 있어요. 공룡이 살던 곳의 모습을 상상하는 것은 공룡을 더 잘 아는 데 도움을 주어요.

마지막으로 컴퓨터를 °활용해서 상상해요. 우리에게 남아 있는 것은 공룡의 뼈 화석뿐이라 공룡이 날씬했는지 뚱뚱했는지 °정확하게 알기 어려워요. 그래서 과학자들은 컴퓨터를 활용해서 공룡의 뼈 조각 위에 살을 입혀요. 컴퓨터로 살을 입히고 나면 우리가 알고 있는 티라노사우루스, 트리케라톱스 같은 공룡의 모습이 나타나지요.

낱말 뜻 풀이

- **흔적**: 어떤 현상이나 실체가 없어졌거나 지나간 뒤에 남은 자국이나 표시.
- **화석**: 동식물이 죽은 후 남은 뼈나 그 흔적 등이 돌 속에 그대로 남아 있는 것.
- **탐구**: 진리, 학문 등을 파고들어 깊이 연구함.
- **검사**: 물질의 성분 등을 조사하여 여러 가지를 판단하는 일.
- **활용**: 모자람 없이 이롭게 씀.
- **정확하게**: 바르고 확실하게.

---

1 이 글에서 가장 중요한 낱말은 무엇인가요?

핵심어

① 풀   ② 공룡   ③ 날개

④ 영화   ⑤ 장난감

2

세부 내용

이 글의 내용에 따라 다음 빈칸에 알맞은 말을 쓰세요.

장난감과 영화 속 공룡의 모습은 ☐☐☐들이 지구에 남아 있는 공룡의 흔적을 가지고 상상한 모습이다.

13회 ▶ 정답과 해설 13쪽

3

세부 내용

공룡의 발자국이나 화석을 탐구하면 알 수 있는 것이 <u>아닌</u> 것은 무엇인가요?

① 공룡에게 뿔이 있었는지 알 수 있다.

② 공룡의 나이를 정확하게 알 수 있다.

③ 공룡의 원래 크기를 상상할 수 있다.

④ 공룡에게 날개가 있었는지 알 수 있다.

⑤ 공룡이 몇 개의 발로 걸었는지 알 수 있다.

4

세부 내용

공룡이 날씬했는지 뚱뚱했는지 알아보기 위한 방법은 무엇인지 기호를 쓰세요.

㉠ 공룡이 살던 곳의 모습을 상상한다.

㉡ 컴퓨터를 활용해 뼈 조각에 살을 입힌다.

5

세부 내용

이 글의 내용에 맞게 다음 빈칸에 알맞은 말을 쓰세요.

공룡 발자국이 찍힌 ☐을/를 검사하면 공룡이 사는 곳의 모습이 어땠는지 알 수 있다.

6 이 글을 읽고 생각한 것으로 알맞지 <u>않은</u> 것은 무엇인지 기호를 쓰세요.

추론

㉮ 공룡 화석을 탐구하면 공룡이 어떤 모습이었는지 알 수 있구나.

㉯ 비슷한 생김새의 동물을 살펴보면 공룡을 탐구하는 데 도움이 되겠구나.

㉰ 공룡 화석의 크기를 검사하면 공룡이 먹었던 풀이 무슨 풀인지 알 수 있구나.

7 공룡을 탐구하는 방법을 생각하며, 빈칸에 알맞은 말을 쓰세요.

글의
구조

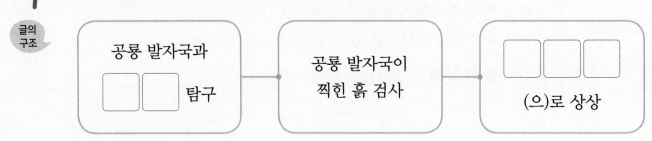

공룡 발자국과
☐ ☐ 탐구

공룡 발자국이
찍힌 흙 검사

☐ ☐ ☐
(으)로 상상

생각 글 쓰기

✏️ 티라노사우루스, 트리케라톱스 같은 공룡의 모습을 만드는 방법은 무엇일까요?

어휘 다지기

01 다음 낱말에 알맞은 뜻을 찾아 선으로 이으세요.

(1) 정확 •

(2) 탐구 •

(3) 활용 •

• ㉠ 바르고 확실함.

• ㉡ 모자람 없이 이롭게 씀.

• ㉢ 진리, 학문 등을 파고들어 깊이 연구함.

02 아래 상황에 알맞은 낱말을 찾아 빈칸에 쓰세요.

정확   화석   활용

(1)

박물관에 가서 [   ]을 보았다.

(2)

나의 시계는 시간이 [   ]하다.

매일 학습 평가 맞은 문제에 표시해 주세요.

1 핵심어	2 세부 내용	3 세부 내용	4 세부 내용	5 세부 내용	6 추론	7 글의 구조	맞은 개수
☐	☐	☐	☐	☐	☐	☐	개

스티커를 붙여 두세요

13회 63

도로를 달리는 자동차의 뒷모습을 살펴보면 *연기가 나오는 것을 볼 수 있어요. 이 연기는 공기를 나쁘게 만들어요. 그래서 과학자들은 연기가 나오지 않는 새로운 자동차를 만들었지요. 바로 전기 자동차예요. 전기 자동차가 연기가 나오는 자동차에 비해 좋은 점을 알아볼까요?

전기 자동차는 연기가 나오지 않기 때문에 공기를 깨끗하게 해요. 봄과 가을에는 특히 하늘이 뿌연 날이 많은데, 자동차의 연기는 뿌연 먼지를 만들어 내는 물질 가운데 하나예요. 하지만 전기 자동차를 타면 연기가 나오지 않기 때문에 뿌연 먼지가 적어지고, 우리는 깨끗한 하늘을 볼 수 있어요.

전기 자동차는 다른 자동차들에 비해 조용해요. 자동차가 움직이려면 차 안에 있는 많은 기계들이 움직여야 하고, 이 기계가 움직이면서 자동차가 덜덜 소리를 내어요. 우리가 차나 버스를 탔을 때 차가 덜덜 소리를 내는 까닭이 바로 이것이에요. 그런데 전기 자동차 속에는 기계가 적게 들어 있어서 이런 움직임이 적어요. 그래서 우리는 더 편안하고 조용하게 자동차를 탈 수 있어요.

전기 자동차는 한 번 ㉠*충전해서 많은 거리를 움직일 수 있어요. *주유소에 가 본 기억이 있나요? 기름이 있어야 차가 움직이는데 기름을 거의 다 사용했기 때문에 주유소에 가지요. 이렇게 자동차에 기름을 넣는 것처럼 전기 자동차도 충전이 필요해요. 하지만 다른 자동차들이 주유소에 가는 *횟수보다 전기 자동차가 충전하러 가는 횟수가 더 적지요.

이처럼 전기 자동차에 좋은 점이 많기 때문에 점점 더 많은 사람들이 전기 자동차를 이용하고 있어요. 우리도 전기 자동차의 좋은 점을 알고 잘 이용하도록 해요.

낱말 뜻 풀이

• **연기**: 무엇이 불에 탈 때에 생겨나는 것.
• **충전**: 전기 에너지를 모아서 쌓는 일.
• **주유소**: 자동차 등에 기름을 넣는 곳.
• **횟수**: 돌아오는 차례의 수.

1 이 글에 알맞은 제목을 쓰세요.

제목

▢▢▢▢▢ 의 좋은 점

2 이 글에서 중요한 낱말이 아닌 것은 무엇인가요?

핵심어

① 가을　　　　② 공기　　　　③ 기계

④ 연기　　　　⑤ 충전

3 보기 의 빈칸에 들어갈 낱말로 알맞은 것에 모두 ○표를 하세요.

적용

| 공기 | 신발 | 환경 |

보기

자동차의 연기가 ▢▢ 을/를 나쁘게 만들기 때문에 전기 자동차를 만들었다.

4 전기 자동차에 대하여 바르게 말한 것은 무엇인가요?

세부
내용

① 연기가 나온다.

② 충전해야 한다.

③ 뿌연 먼지를 만든다.

④ 차 속에 기계가 많다.

⑤ 차가 움직이는 소리가 시끄럽다.

5 이 글을 읽고 자신의 생각을 바르게 말하지 못한 사람은 누구인지 쓰세요.

추론

- 가인: 전기 자동차가 많아지면 충전할 수 있는 곳도 많아질 거야.
- 유희: 먼지를 줄이기 위해서 기름을 넣는 자동차가 많아지면 좋겠어.
- 재환: 세상에 전기 자동차만 있다면 지금보다 하늘이 많이 깨끗해지겠지?

6 '충전'이 ㉠과 같은 뜻으로 쓰이지 <u>않은</u> 문장을 고르세요.

어휘

㉮ 누나는 휴대 전화를 <u>충전</u>하였다.

㉯ 이 건전지는 <u>충전</u>해서 쓸 수 있다.

㉰ 효진이는 휴일에 푹 쉬어서 <u>충전</u>되었다.

7 이 글의 짜임을 생각하며, 빈칸에 알맞은 말을 쓰세요.

글의
구조

전기 자동차의
좋은 점

☐☐ 을/를 깨끗하게 해 줌.

움직일 때 조용함.

☐☐ 횟수가 적음.

글쓴이의 생각

전기 자동차를 많이 이용해야 한다.

생각 글 쓰기

✎ 전기 자동차처럼 환경을 보호할 수 있는 탈것에는 또 무엇이 있을까요?

어휘 다지기

01 다음 낱말에 알맞은 뜻을 찾아 선으로 이으세요.

(1) 주유소 •

(2) 충전 •

(3) 횟수 •

• ㉠ 돌아오는 차례의 수.

• ㉡ 자동차 등에 기름을 넣는 곳.

• ㉢ 전기 에너지를 모아서 쌓는 일.

14회 ▶ 정답과 해설 14쪽

02 아래 상황에 알맞은 낱말을 찾아 빈칸에 쓰세요.

| 연기   주유소   횟수 |

(1)

나는 날마다 연습하여 줄넘기 [　　　]를 늘렸다.

(2)

굴뚝에서 [　　　]가 난다.

매일 학습 평가	맞은 문제에 표시해 주세요.						맞은 개수	
1 제목 ☐	2 핵심어 ☐	3 적용 ☐	4 세부 내용 ☐	5 추론 ☐	6 어휘 ☐	7 글의 구조 ☐	개	스티커를 붙여 주세요

'승민이는 민재보다 더 커요.'와 같은 말을 하거나 들은 적이 있나요? 이러한 말은 비교하는 말이에요. '비교'는 둘 이상의 °사물을 °견주어 서로 간의 °공통점이나 °차이점을 살펴보는 것을 뜻해요. 비슷한 말로는 '대조'가 있어요.

㉮ 비교해서 말하면 듣는 사람은 말을 쉽게 알아들을 수 있어요. 복잡하거나 어려운 내용도 비교해서 보면 무엇이 같고 무엇이 다른지 알기 쉬워져요. 또, 비교해서 말하면 말하는 사람은 말하려는 내용을 잘 전달할 수 있어요. 어려운 내용도 비교해서 말하면 쉽게 설명할 수 있어서 좋아요.

비교할 때 쓰는 말에는 '더', '-보다', '가장' 등이 있어요. 친구들의 키를 비교할 때는 '더 크다'와 '더 작다'라는 말을 써요. °무게를 비교할 때는 '더 무겁다'와 '더 (㉠)'을/를 사용하지요. 우리가 자주 쓰는 연필의 길이를 비교할 때에는 '더 길다'와 '더 짧다'라는 말로 나타낼 수 있어요. 엄마와 나의 나이를 비교할 때는 '더 많다'와 '더 적다'를 사용해요.

또한 '더', '-보다', '가장' 등을 사용하지 않고도 비교할 수 있어요. '미국인 친구는 햄버거를 먹었고, 나는 쌀밥을 먹었다.'와 같은 문장도 비교하는 문장이에요. 이 문장에 '더', '-보다', '가장' 같은 말은 들어가지 않았지만, 미국인 친구가 먹은 것과 '나'가 먹은 것의 (㉡)을/를 알 수 있지요.

낱말 뜻 풀이

• **사물**: 일과 물건을 아울러 이르는 말.
• **견주어**: 둘 이상의 사물을 질이나 양에서 어떤 차이가 있는지 알기 위하여 서로 대어 보아.
• **공통점**: 둘 또는 그 이상의 여럿 사이에 두루 통하는 점.
• **차이점**: 서로 같지 아니하고 다른 점.
• **무게**: 물건의 무거운 정도.

---

1 이 글에 알맞은 제목을 쓰세요.

제목 ☐☐ (이)란 무엇일까요?

2 이 글에 대하여 바르게 말하지 <u>않은</u> 것을 두 가지 고르세요.

① 비교해서 말하면 좋은 점이 있다.

② 비교와 비슷한 말로는 대조가 있다.

③ 비교하면 공통점과 차이점을 쉽게 알 수 있다.

④ 비교는 한 가지 물건의 생김새를 살펴보는 일이다.

⑤ '더'나 '-보다' 같은 말을 사용하지 않으면 비교할 수 없다.

3 ㉮의 내용을 간추려 빈칸에 알맞은 말을 쓰세요.

요약

비교해서 말하면 ☐☐ 사람은 쉽게 알아들을 수 있고, 말하는 사람은

말하는 내용을 잘 ☐☐ 할 수 있다.

4 ㉠에 들어갈 말로 알맞은 것은 무엇인가요?

어휘

① 굵다   ② 작다   ③ 좁다

④ 가볍다   ⑤ 조그맣다

5 ㉡에 들어갈 알맞은 낱말을 쓰세요.

추론

☐☐☐

6 아래 그림을 보고 물건들을 알맞게 비교한 것의 기호를 쓰세요.

적용

㉮ 두 연필의 길이는 똑같다.

㉯ 샤프펜슬은 연필보다 짧다.

㉰ 자, 연필, 지우개, 샤프펜슬 중에서 길이가 가장 긴 것은 연필이다.

㉱ 자, 연필, 지우개, 샤프펜슬 중에서 길이가 가장 짧은 것은 지우개이다.

7 이 글의 짜임을 생각하며, 빈칸에 알맞은 말을 쓰세요.

글의
구조

비교할 때 좋은 점	– 듣는 사람은 말을 쉽게 알아들을 수 있음. – ☐ 하는 사람은 내용을 잘 전달할 수 있음.
비교할 때 쓰는 말	– ☐ 비교: 더 크다, 더 작다 – 무게 비교: 더 무겁다, 더 ☐☐☐ – 길이 비교: 더 길다, 더 짧다 – 나이 비교: 더 많다, 더 적다

✎ **생각 글 쓰기**

🖊 넓이를 비교하는 말에는 무엇이 있을까요?

어휘다지기

01 다음 낱말에 알맞은 뜻을 찾아 선으로 이으세요.

(1) 무게 •

(2) 공통점 •

(3) 차이점 •

• ㉠ 물건의 무거운 정도.

• ㉡ 서로 같지 아니하고 다른 점.

• ㉢ 둘 또는 그 이상의 여럿 사이에 두루 통하는 점.

02 아래 상황에 알맞은 낱말을 찾아 빈칸에 쓰세요.

무게   질   차이점

(1)

두 마리의 개는 서로

[   ] 이/가

있다.

(2)

양파의

[   ] 을/를

재 보았다.

그림 그리는 것을 °직업으로 하는 사람을 화가라고 불러요. 우리는 보통 화가라고 하면 연필, 물감, 붓 등으로 그림을 그리는 사람을 떠올리지요. 여러분도 연필이나 물감으로 그린 그림을 미술관에서 본 적이 있을 거예요. 그런데 요즘에는 우리가 알고 있는 색칠 °도구가 아닌 컴퓨터로 그림을 그리는 화가가 생겼어요.

누리집에 들어가면 매주 새로운 만화를 볼 수 있어요. 이렇게 우리가 인터넷으로 보는 만화를 그리는 사람을 '웹툰 작가'라고 불러요. 또한 우리가 즐겨 보는 만화 영화도 컴퓨터로 만들어져요. 만화 영화를 만드는 사람은 '애니메이터'라고 불러요. 그리고 우리는 매일 텔레비전에서 광고를 보지요? 이러한 광고에 필요한 그림을 컴퓨터로 그리는 사람은 '광고 디자이너'라고 해요.

컴퓨터로 그림을 그리는 화가들은 어떤 도구를 이용할까요? 가장 쉽게 이용할 수 있는 도구는 마우스예요. 컴퓨터에는 그림을 그리는 프로그램이 들어 있는데 이 프로그램을 열면 마우스로 그림을 그릴 수 있어요. 보다 °전문적인 도구로는 '디지타이저'가 있지요. 이 도구는 널따란 °도화지 같은 판과 연필 모양의 디지털 펜으로 이루어져 있어요. 화가들은 마치 도화지에 붓으로 그림을 그리듯이 판 위에 디지털 펜으로 그림을 그려요.

이처럼 그림을 그리는 도구는 이전보다 °다양해지고 미술과 °관련된 직업도 많아졌어요. 미술은 미술관에서만 찾을 수 있는 딱딱하고 어려운 것이 아니에요. 우리의 °일상생활은 미술과 함께하고 있어요.

낱말 뜻 풀이

- **직업**: 자신에게 알맞은 일이나 능력에 따라 일정한 기간 동안 계속하여 하는 일.
- **도구**: 일을 할 때 쓰는 물건을 이르는 말.
- **전문적**: 어떤 분야에 상당한 지식과 경험을 가지고 그 일을 잘하는 것.
- **도화지**: 그림을 그리는 데 쓰는 종이.
- **다양해지고**: 모양, 빛깔, 형태, 양식 등이 여러 가지로 많아지고.
- **관련된**: 둘 이상의 것이 관계를 맺어 있는.
- **일상생활**: 보통 때의 일정한 환경에서 활동하며 살아감.

1 이 글에서 중요한 낱말이 <u>아닌</u> 것은 무엇인가요?

① 도구 ② 미술 ③ 화가

④ 컴퓨터 ⑤ 일상생활

2 이 글의 내용으로 알맞은 것은 무엇인가요?

① 그림을 그리는 직업은 점점 줄어들고 있다.

② 모든 만화 영화는 도화지에 연필로 그려서 만든다.

③ 그림을 그릴 때 컴퓨터를 이용하는 화가들이 생겼다.

④ '디지타이저'는 널따란 판과 물감으로 이루어져 있다.

⑤ 컴퓨터로 그림을 그리는 사람은 화가라고 부르지 않는다.

3 그림을 그리는 데 이용하는 도구로 알맞지 <u>않은</u> 것은 무엇인가요?

① 붓 ② 물감 ③ 연필

④ 마우스 ⑤ 텔레비전

4 다음 빈칸에 알맞은 말을 쓰세요.

컴퓨터로 [ ][ ] 을/를 그리는 직업을 가진 사람을 '웹툰 작가'라고 한다.

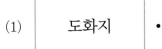

5 다음을 보고 같은 일을 하는 도구를 찾아 선으로 이으세요.

(1) 도화지 •

(2) 연필, 물감, 붓 •

• (가)

• (나)

6 이 글에 대하여 바르게 말하지 <u>않은</u> 것을 고르세요.

전개
방식

⊙ 화가에 대하여 설명하였다.

ⓛ 컴퓨터로 그림을 그리는 화가들을 설명하였다.

ⓒ 컴퓨터로 그림을 잘 그릴 수 있는 방법을 설명하였다.

ⓔ 컴퓨터로 그림을 그릴 때 사용하는 도구를 설명하였다.

7 이 글의 짜임을 생각하며, 빈칸에 알맞은 말을 쓰세요.

글의
구조

첫째 문단	우리가 알고 있는 ☐☐
둘째 문단	☐☐☐(으)로 그림을 그리는 화가들
셋째 문단	컴퓨터로 그림을 그릴 때 사용하는 ☐☐
넷째 문단	미술과 함께하는 우리의 일상생활

생각 글 쓰기

✎ 컴퓨터를 이용해 그림을 그리는 것이 종이에 그릴 때보다 좋은 점은 무엇일까요?

▶ 정답과 해설 16쪽

01 다음 낱말에 알맞은 뜻을 찾아 선으로 이으세요.

(1) 관련 •

(2) 도구 •

(3) 도화지 •

• ㉠ 그림을 그리는 데 쓰는 종이.

• ㉡ 둘 이상의 것이 관계를 맺어 있음.

• ㉢ 일을 할 때 쓰는 물건을 이르는 말.

02 아래 상황에 알맞은 낱말을 찾아 빈칸에 쓰세요.

다양   도구   직업

(1)

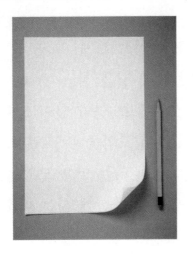

종이와
연필은
필기 [   ]이다.

(2)

책장에는
[   ]한 책들이
꽂혀 있다.

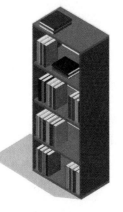

매일 학습 평가	맞은 문제에 표시해 주세요.						맞은 개수
1 핵심어 ☐	2 세부 내용 ☐	3 적용 ☐	4 세부 내용 ☐	5 추론 ☐	6 전개 방식 ☐	7 글의 구조 ☐	개

스티커를
붙여 두세요

지우개를 집에 두고 왔을 때 옆자리에 앉은 친구에게 빌렸던 °경험이 있을 거예요. 이처럼 우리는 다른 사람에게 °도움을 받기도 하고, 도움을 주기도 하면서 함께 살아가고 있어요. 이웃을 도울 수 있는 방법에는 또 무엇이 있는지 알아보고 °실천해 보도록 해요.

이웃을 돕는 일은 어려운 일이 아니에요. 생각해 보면 누구나 °주변의 친구를 도와준 일이 있을 거예요. 준비물을 가져오지 않은 친구에게 준비물을 빌려준 일도 이웃에게 도움을 준 것이지요. 또한 한글을 아직 잘 모르는 친구가 물어보았을 때 친구를 놀리지 않고 잘 가르쳐 주는 것, 비가 오는 날 우산을 가져오지 않은 친구와 우산을 나누어 쓰는 것도 이웃을 도와주는 것이에요.

우리는 주변의 친구뿐 아니라 몸이 불편한 °장애인도 도울 수 있어요. 길에서 ㉠°휠체어를 탄 사람을 만났을 때 길을 지나가도록 옆으로 비켜 주는 것도 도움을 주는 것이에요. 만약 앞이 보이지 않는 장애인이 우리에게 길을 물어본다면, 자세히 길을 알려 주어 도와줄 수도 있지요.

가장 중요한 것은 어디에서인가 들리는 '도와주세요.'라는 말을 모르는 척하지 않는 거예요. 작은 일이라도 도움이 필요한 이웃을 도와준다면 함께 사는 따뜻한 세상을 만들 수 있어요.

낱말 뜻 풀이

● **경험**: 자신이 실제로 해 보거나 겪어 봄.
● **도움**: 남을 돕는 일.
● **실천**: 생각한 것을 실제로 행함.
● **주변**: 어떤 대상의 둘레.
● **장애인**: 몸의 일부가 스스로 기능을 하지 못하거나 부족한 상태로 어려움이 있는 사람.
● **휠체어**: 다리를 마음대로 움직일 수 없는 사람이 앉은 채로 움직일 수 있도록 바퀴를 단 의자.

1 이 글에 알맞은 제목을 쓰세요.

제목 □□ 이/가 필요한 이웃을 도와주어요.

2 이 글에 대하여 바르게 말하지 <u>않은</u> 것은 무엇인가요?

전개
방식

> ㉮ 글쓴이의 생각을 나타낸 글이다.
>
> ㉯ 읽는 사람이 자신의 경험을 생각해 보도록 하였다.
>
> ㉰ 다른 사람을 도와줄 수 있는 방법을 자세하게 썼다.
>
> ㉱ 다른 사람에게 도움을 받을 수 있는 방법을 자세하게 썼다.

3 준비물인 색종이를 가져오지 않은 친구를 돕는 방법으로 알맞은 것에 ○표, 알맞지 <u>않은</u> 것에 ×표를 하세요.

추론

(1) 색종이를 함께 쓰자고 말한다.   (   )

(2) 색종이를 가져오지 않았다고 놀린다.   (   )

(3) 준비물을 잘 가져와야 한다고 화를 낸다.   (   )

4 다음 중 이웃을 올바르게 도와준 것은 무엇인가요?

적용

① 친구가 좋아하는 떡을 내가 다 먹었어.

② 길을 가다가 넘어진 사람을 모르는 척했어.

③ 버스에 앉아 있는데 할머니께서 오셔서 자는 척했어.

④ 계단을 힘들게 올라가시는 할아버지의 짐을 들어 드렸어.

⑤ 키가 작아서 책장 높이 있는 책을 꺼내지 못하는 친구를 놀렸어.

5 ㉠과 같은 이웃을 길에서 만난다면 어떻게 도와줄 수 있을지 빈칸에 알맞은 말을 쓰세요.

세부
내용

길을 잘 지나가도록 [   ](으)로 길을 비켜 준다.

6

주제

다음 빈칸에 알맞은 말을 쓰세요.

이 글은 ☐☐을/를 도와주어 함께 사는 따뜻한 세상을 만들자고 주장하는 글이다.

7

글의
구조

이 글의 짜임을 생각하며, 빈칸에 알맞은 말을 쓰세요.

도움이 필요한 이웃을 도와야 한다.

친구를 도와야 한다.

몸이 불편한 ☐☐☐을/를 도와야 한다.

🖊 **생각 글 쓰기**

🖋 친구에게 도움을 준 경험을 생각하여 쓰세요.

어휘 다지기

01 다음 낱말에 알맞은 뜻을 찾아 선으로 이으세요.

(1) 경험 •   • ㉠ 남을 돕는 일.

(2) 도움 •   • ㉡ 생각한 것을 실제로 행함.

(3) 실천 •   • ㉢ 자신이 실제로 해 보거나 겪어 봄.

17회

▶ 정답과 해설 17쪽

02 아래 상황에 알맞은 낱말을 찾아 빈칸에 쓰세요.

```
        도움        실천        휠체어
```

(1)

방학 계획표를
잘 [   ]해야
한다.

(2)

친구의 [   ](으)로
자전거를 탈 수 있게
되었다.

매일 학습 평가 맞은 문제에 표시해 주세요.   **맞은 개수**

1 제목	2 전개 방식	3 추론	4 적용	5 세부 내용	6 주제	7 글의 구조	
☐	☐	☐	☐	☐	☐	☐	개

스티커를
붙여 두네요

공 튀는 소리

*이틀째 앓아누워
학교에 못 갔는데, 누가 벌써
학교 갔다 돌아왔는지
*골목에서 공 튀는 소리 들린다.

(가)
　　탕탕 –
　　*땅바닥을 두들기고
　　탕탕탕 –
　　*담벼락을 두들기고
　　탕탕탕탕 –
　　꽉 닫힌 창문을 두들기며
　　㉠골목 가득 울리는
　　소리

내 방 안까지 ㉡들어와
이리 튕기고 저리 튕겨 다닌다.

*까무룩 또 잠들려는 나를
뒤흔들어 깨우고는, 내 몸속까지
튀어 들어와 탕탕탕 –
㉢내 *맥박을 두들긴다.

– 신형건

낱말 뜻 풀이

• **이틀**: 하루가 두 번 있는 시간의 길이.
• **골목**: 큰길에서 들어가 동네 안을 이리저리 통하는 좁은 길.
• **땅바닥**: 아무것도 깔지 않은 땅의 바닥.
• **담벼락**: 담이나 벽에서 겉으로 나타나거나 눈에 띄는 부분.
• **까무룩**: 정신이 갑자기 흐려지는 모양.
• **맥박**: 심장이 뛰면서 생기는 핏줄의 움직임.

이 시에서 말하는 이가 있는 곳은 어디인가요?

① 골목

② 교실

③ 방 안

④ 놀이터

⑤ 학교 운동장

이 시의 말하는 이에 대하여 바르게 말하지 <u>않은</u> 것은 무엇인가요?

① '나'는 지금 아프다.

② '나'는 지금 졸리다.

③ '나'는 학교에 가지 못했다.

④ '나'는 공 튀는 소리를 듣고 밖에 나갔다.

⑤ '나'에게 아이들이 공놀이하는 소리가 들린다.

㉠이 나타내는 소리로 알맞은 것은 무엇인가요?

① 시계 소리

② 공 튀는 소리

③ 문 닫는 소리

④ 공 굴리는 소리

⑤ 창문 여는 소리

㉮에서 공이 두들긴 것을 차례대로 쓰세요.

| | | | ➡ | | | | ➡ | 꽉 닫힌 | | |

5

ⓛ이 뜻하는 것으로 알맞은 것은 무엇인가요?

시어의
의미

① 공이 방문을 두들긴다.

② 선생님께서 찾아오셨다.

③ 공이 방 안으로 들어온다.

④ 친구가 방 안으로 들어온다.

⑤ 공 튀는 소리가 방 안까지 들린다.

6

ⓒ이 뜻하는 것으로 알맞은 것은 무엇인가요?

시어의
의미

① '나'를 재워 준다.

② '나'를 아프게 한다.

③ '나'는 공놀이가 하고 싶다.

④ 공이 '나'의 팔을 두들긴다.

⑤ '나'의 집 문을 누구인가 두들긴다.

7

이 시를 읽고 알맞지 <u>않게</u> 말한 사람은 누구인지 쓰세요.

감상

- 다연: 말하는 이는 공놀이를 좋아하는 것 같아.
- 민정: 말하는 이는 친구들과 놀고 싶었을 거야.
- 세훈: '탕탕'은 공이 튀는 소리를 나타낸 말이야.
- 윤서: 학교에 일주일이나 못 갔다니, 말하는 이는 많이 아픈가 봐.

 생각 글 쓰기

🖊 마음을 시로 나타내면 좋은 점은 무엇일까요?

어휘 다지기

01 다음 낱말에 알맞은 뜻을 찾아 선으로 이으세요.

(1) 골목 •

(2) 땅바닥 •

(3) 이틀 •

• ㉠ 아무것도 깔지 않은 땅의 바닥.

• ㉡ 하루가 두 번 있는 시간의 길이.

• ㉢ 큰길에서 들어가 동네 안을 이리저리 통하는 좁은 길.

02 아래 상황에 알맞은 낱말을 찾아 빈칸에 쓰세요.

> 골목   맥박   이틀

(1)

할머니,

할아버지 댁에

[   ] 동안

다녀왔다.

(2)

우리 집 앞

[   ] 에

눈이 쌓였다.

매일 학습 평가	맞은 문제에 표시해 주세요.					맞은 개수
1 배경 ☐	2 화자 ☐	3 표현 ☐	4 세부 내용 ☐	5 시어의 의미 ☐	6 시어의 의미 ☐	7 감상 ☐	개

스티커를 붙여 주세요

18회 83

경주에 이긴 거북이 꾸물이는 스타가 됐어. 다들 꾸물이를 보려고 구름 떼처럼 몰려들었지. 걸핏하면 ㉠놀려 대던 이웃들도 이제 달라졌어.

"저렇게 빠른 거북이가 있었다니!"

"토끼도 ˚한물갔군."

"슈퍼 거북, 만세!"

<중략>

동물들이 수군대며 꾸물이를 ˚흘끔거렸어. 꾸물이는 동물들이 (㉡)할까 봐 걱정이 됐어. 그래서 단단히 마음을 먹었지. 진짜 슈퍼 거북이 되기로 말이야. 먼저 도서관으로 달려가 책을 뒤졌어. 빨라지는 방법이 나온 책을 ˚모조리 찾아 읽었지. 그리고 곧장 책에 나온 대로 따라 하기 시작했어. 며칠이 지나자 아주 조금 빨라진 기분이 들었어. 날이면 날마다 더 빨라지려고 ˚안간힘을 쓰자…… 점점 더 빨라졌어. 꾸물이는 해가 뜰 때부터 달이 질 때까지 ˚훈련을 했어. 비가 오나 눈이 오나 바람이 부나 하루도 빼먹지 않고 말이야. 어느덧 꾸물이는 진짜 슈퍼 거북이 됐어. 꾸물이가 지나가도 아무도 알아차리지 못했지. 동물들은 혀를 내둘렀어.

"와, 역시 슈퍼 거북이야!"

그런데 사실…… 꾸물이는 너무 지쳤어. 딱 하루만이라도 푹 쉬고 싶었지. 느긋하게 자고 느긋하게 먹고 싶었어. 볕도 쬐고 책도 보고 꽃도 가꾸고 싶었지. 무엇보다도 ˚예전처럼 (㉢) 걷고 싶었어. 꾸물이는 아침마다 거울에 비친 제 모습을 보고 깜짝깜짝 놀라곤 했어. 한 천 년은 늙어 버린 것 같았거든.

– 유설화, 「슈퍼 거북」

낱말 뜻 풀이

- **한물갔군**: 한창때가 지나 기세가 꺾였군.
- **흘끔거렸어**: 곁눈으로 슬그머니 자꾸 흘겨보았어.
- **모조리**: 하나도 빠짐없이 모두.
- **안간힘**: 어떤 일을 이루기 위해 몹시 애쓰는 힘.
- **훈련**: 재주를 배우거나 익히기 위해 되풀이하여 연습함.
- **예전**: 꽤 오래된 지난날.

1 이 글의 주인공은 누구인가요?

인물

슈퍼 거북이 된 ☐☐☐

2 꾸물이에 대하여 바르게 말하지 <u>않은</u> 것은 무엇인가요?

추론

① 예전에는 느렸다.

② 슈퍼 거북의 이름이다.

③ 계속 더 빨라지고 싶어 한다.

④ 토끼와 경주를 해서 이겼다.

⑤ 훈련을 해서 빠른 거북이 되었다.

3 ㉠과 같은 일이 일어난 까닭은 무엇인가요?

세부
내용

① 꾸물이가 느려졌기 때문이다.

② 꾸물이가 빨라졌기 때문이다.

③ 꾸물이가 힘이 세졌기 때문이다.

④ 꾸물이가 하늘을 날았기 때문이다.

⑤ 꾸물이가 수영을 하게 되었기 때문이다.

4 ㉡에 들어갈 낱말로 가장 알맞은 것은 무엇인가요?

어휘

① 기뻐　　　　　　　② 실망

③ 좋아　　　　　　　④ 행복

⑤ 즐거워

5 꾸물이가 빨라지기 위하여 한 일이 <u>아닌</u> 것은 무엇인가요?

세부
내용

㉮ 책에 나온 내용을 따라 하였다.

㉯ 빨라지는 방법이 나온 책을 모두 샀다.

㉰ 해가 뜰 때부터 달이 질 때까지 훈련하였다.

㉱ 비나 눈이 오거나 바람이 불어도 훈련하였다.

6 ⓒ에 들어갈 낱말로 가장 알맞은 것은 무엇인가요?

어휘

① 느리게   ② 빠르게   ③ 세차게

④ 재빨리   ⑤ 힘차게

7 이 글의 내용으로 보아, 다음 빈칸에 들어갈 알맞은 말은 무엇인가요?

추론

이 글의 '슈퍼 거북'은 ( )을/를 나타내는 말이다.

① 아주 느린 거북

② 아주 빠른 거북

③ 아주 착한 거북

④ 아주 잘생긴 거북

⑤ 아주 공부를 잘하는 거북

 생각 글 쓰기

이 글에서 꾸물이가 지친 까닭은 무엇일까요?

어휘 다지기

01 다음 낱말에 알맞은 뜻을 찾아 선으로 이으세요.

(1) 안간힘 •

(2) 예전 •

(3) 훈련 •

• ㉠ 꽤 오래된 지난날.

• ㉡ 어떤 일을 이루기 위해 몹시 애쓰는 힘.

• ㉢ 재주를 배우거나 익히기 위해 되풀이하여 연습함.

02 아래 상황에 알맞은 낱말을 찾아 빈칸에 쓰세요.

> 안간힘   예전   훈련

(1)

나는 [   ]에는 야채를 잘 먹지 않았지만 지금은 잘 먹는다.

(2)

철봉에서 떨어지지 않으려고 [   ]을 썼다.

매일 학습 평가	맞은 문제에 표시해 주세요.						맞은 개수
1 인물 ☐	2 추론 ☐	3 세부 내용 ☐	4 어휘 ☐	5 세부 내용 ☐	6 어휘 ☐	7 추론 ☐	개

19회 87

20회   문학 | 우화

가 "정말 으스스하군."

등 뒤에서 바스락바스락 소리가 들리는 것 같아서, 두 친구는 자꾸 뒤를 돌아봤답니다. 그때였어요. 한 친구가 갑자기 얼굴이 새파랗게 질려서 *비명을 질렀지요.

"으악! 고, 곰이다! 무시무시한 곰이야!"

*과연 곰 한 마리가 커다란 *바위처럼 버티고 서 있 었답니다. 다른 친구도 곰을 보고 깜짝 놀랐어요.

"도, 도망가야겠어! 곰에게 잡아먹힐 순 없지!"

한 친구가 서둘러 가까운 나무 위로 기어 올라갔어 요. 옆의 친구는 까맣게 잊은 채 저 혼자 살겠다고 말이죠.

나 혼자만 남은 친구는 어쩔 줄 몰라 했어요. 그래서 바닥에 *납작 엎드려 죽은 척을 했 답니다.

'혼자만 살겠다고 도와주지 않다니……'

자신을 도와주지 않고 나무에 올라간 친구가 무척 *원망스러웠지요. 그때, 곰이 다가오 더니 죽은 척하고 있는 친구의 몸에 코를 대고 킁킁거렸어요.

'이대로 죽는 건가!'

그런데 ㉠천만다행이지 뭐예요. 곰이 귀에 대고 무어라 속삭이더니 그대로 가 버리는 게 아니겠어요. 나무 위에서 이 모습을 지켜본 친구는 도대체 곰이 무슨 말을 하는지 궁 금했어요. 그래서 서둘러 나무에서 내려와 물었답니다.

"이보게, 곰이 자네에게 뭐라고 하던가?"

바닥에 엎드려 있던 친구가 흙을 털고 일어났어요. 그리고는 *싸늘한 표정으로 대답했 지요.

"_____㉡_____"

– 강지혜, 「곰을 만난 두 친구」

낱말 뜻 풀이

• **비명**: 일이 매우 급하거나 무서움을 느낄 때 지르는 소리.
• **과연**: 아닌 게 아니라 정말로.
• **바위**: 크기가 매우 큰 돌.
• **납작**: 몸을 바닥에 바짝 대고 냉큼 엎드리는 모양.
• **원망스러웠지요**: 마음에 들지 않아 미워했지요.
• **싸늘한**: 사람의 성격이나 태도 등이 차가운 데가 있는.

1 이 글의 중심 인물은 누구인가요?

인물

☐ 을/를 만난 두 친구

2 ㉮의 내용으로 알맞지 <u>않은</u> 것은 무엇인가요?

세부
내용

① 곰은 커다란 바위 같았다.

② 곰을 먼저 본 친구는 곰과 싸웠다.

③ 두 친구는 길을 가다가 곰을 만났다.

④ 곰을 먼저 본 친구는 비명을 질렀다.

⑤ 곰을 먼저 본 친구는 혼자 나무에 올라갔다.

3 ㉯의 내용으로 알맞지 <u>않은</u> 것은 무엇인가요?

세부
내용

① 한 친구는 바닥에 납작 엎드렸다.

② 바닥에 엎드렸던 친구는 살아남았다.

③ 곰은 나무에 올라간 친구에게 다가가 킁킁댔다.

④ 나무 위에 있던 친구는 바닥에 있던 친구를 보고 있었다.

⑤ 바닥에 엎드린 친구는 나무에 올라간 친구를 원망하였다.

4 ㉠에 담긴 뜻을 알맞게 말한 사람은 누구인지 쓰세요.

어휘

- 가영: 사람들의 생각이 모두 똑같다는 뜻이야.
- 용우: 어떤 일이 뜻밖에 잘되어 몹시 좋다는 뜻이야.
- 소진: 무슨 일에 대하여 방향을 잡을 수 없다는 뜻이야.
- 철이: 열 명 중 여덟이나 아홉 명이 그러하다는 뜻이야.

ⓛ에 들어갈 말로 가장 알맞은 것은 무엇인가요?

① "친구를 항상 반가운 얼굴로 대해야 한다고 했네."

② "혼자만 살겠다고 도망간 친구를 친구로 두지 말라고 했네."

③ "친구와는 항상 사이좋게 지내야 하니 친구를 용서하라고 했네."

④ "죽은 척을 잘해서 살려 주는 것이니 자신에게 고마워하라고 했네."

⑤ "친구가 일부러 혼자 나무에 올라가진 않았을 테니 속상해하지 말라고 했네."

6

추론

이 글을 읽고 빈칸에 알맞은 말을 쓰세요.

두 사람은 □□ 사이였다. 하지만 곰을 만났을 때 한 친구만 혼자 □□ 위로 올라가면서 둘은 더 이상 친구로 지내지 않게 되었을 것이다.

7

글의
구조

이 글에서 일이 일어난 차례대로 번호를 쓰세요.

⑴ 곰이 가 버림.

⑵ 두 친구가 산에서 곰을 만남.

⑶ 곰이 엎드린 친구에게 속삭임.

⑷ 다른 친구는 바닥에 납작 엎드림.

⑸ 한 친구가 곰을 보고 나무로 혼자 올라감.

⑹ 바닥에 엎드려 있던 친구가 싸늘한 표정으로 말함.

( ) → ( ) → ( ) → ( ) → ( ) → ( )

생각 글 쓰기

🖋 친구와 잘 지내려면 어떻게 해야 할까요?

어휘 다지기

01 다음 낱말에 알맞은 뜻을 찾아 선으로 이으세요.

(1) 과연 •

(2) 바위 •

(3) 원망 •

• ㉠ 크기가 매우 큰 돌.

• ㉡ 아닌 게 아니라 정말로.

• ㉢ 마음에 들지 않아 미워함.

02 아래 상황에 알맞은 낱말을 찾아 빈칸에 쓰세요.

> 과연   바위   비명

(1)

번개를 보고 놀라서 크게

[   ] 을/를

질렀다.

(2)

산에는 커다란

[   ] 이/가 많다.

매일 학습 평가	맞은 문제에 표시해 주세요.						맞은 개수	
1 인물 ☐	2 세부 내용 ☐	3 세부 내용 ☐	4 어휘 ☐	5 추론 ☐	6 추론 ☐	7 글의 구조 ☐	개	스티커를 붙여 두네요

3 단계

사고력을 키우는 **다양한 독해**

🌸 자신의 학습 능력과 상황에 따라 꾸준하게 공부하는 것이 가장 중요합니다.

🌸 학습 계획을 먼저 세우고, 스스로 지킬 수 있도록 노력해 보세요.

				학습할 날짜
21회	다른 나라의 문화를 존중해요	논설문	사회	☐월 ☐일
22회	레고는 어떻게 만들어져서 변화했을까?	설명문	예술	☐월 ☐일
23회	옛날 사람들이 생각한 지구의 모양	설명문	과학	☐월 ☐일
24회	바퀴의 발명	설명문	기술	☐월 ☐일
25회	통일이 되어야 하는 까닭	논설문	사회	☐월 ☐일
26회	우리나라의 섬 제주도	설명문	사회	☐월 ☐일
27회	한옥의 좋은 점	설명문	기술	☐월 ☐일
28회	치과에서	문학	동시	☐월 ☐일
29회	강아지똥	문학	동화	☐월 ☐일
30회	사자를 구한 생쥐	문학	우화	☐월 ☐일

세상에는 여러 나라의 사람들이 각각의 문화 속에서 살고 있어요. 문화가 다르면 사는 모습도 달라요. 세계적으로 가장 유명한 명절인 크리스마스의 °풍습도 나라마다 다르답니다. 필리핀 사람들은 크리스마스를 사 개월 동안이나 °기념해요. 필리핀에는 교회에 다니는 사람들이 많기 때문이에요. 중국에는 크리스마스가 아직 잘 알려지지 않았어요. 12월 25일이 특별한 날이나 °공휴일이 아니어서 학생들은 평상시처럼 학교에 가야 하지요.

나라마다 밥을 먹을 때 지켜야 할 예절도 모두 달라요. 서아시아에 위치한 이슬람 국가 중에는 오른손으로만 밥을 먹는 나라가 있어요. 왼손은 화장실에서 사용하는 손이라 더럽다고 생각하기 때문이에요. 그리고 일본에서는 밥그릇을 들고 식사를 해요. 왼손으로는 밥그릇을 들고 (㉠)(으)로는 젓가락질을 해요. 우리가 쓰는 숟가락은 사용하지 않는답니다.

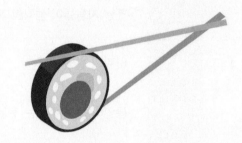

지금까지 나라마다 다른 풍습과 예절을 살펴보았어요. 우리와 다른 문화를 가진 사람들의 °행동은 우리나라 사람들의 행동과 다르지만 잘못된 것이 아니에요. 우리는 다른 나라의 문화를 °존중해야 해요. 다른 나라에 놀러 갔을 때 우리나라 사람들과 습관이 다른 사람을 보고 눈살을 찌푸리면 안 돼요. 열린 마음으로 사람들을 대하고, 질서와 예절을 지켜야 한답니다.

낱말 뜻 풀이

● **풍습**: 풍속과 습관을 아울러 이르는 말.
● **기념**: 어떤 뜻깊은 일이나 훌륭한 인물 등을 오래도록 잊지 아니하고 마음에 간직함.
● **공휴일**: 국가나 사회에서 정하여 다 함께 쉬는 날.
● **행동**: 몸을 움직여 동작을 하거나 어떤 일을 함.
● **존중**: 높이어 귀중하게 대함.

---

1 이 글에 알맞은 제목을 쓰세요.

제목　다른 나라의 ☐☐을/를 존중해요.

2 이 글의 내용으로 알맞지 <u>않은</u> 것은 무엇인가요?

세부
내용

① 크리스마스는 세계적으로 유명한 명절이다.

② 필리핀 학생들은 크리스마스 날 학교에 간다.

③ 일본에서는 밥을 먹을 때 숟가락을 사용하지 않는다.

④ 이슬람 국가 중에는 오른손으로만 밥을 먹는 나라가 있다.

⑤ 우리나라의 문화와 다른 나라의 문화는 서로 다를 수 있다.

3 중국에서 보내는 크리스마스에 대하여 알맞게 말한 사람은 누구인지 쓰세요.

세부
내용

> • 기준: 일 년 중 가장 특별한 날이야.
> • 도진: 중국에서는 공휴일이 아니라고 해.
> • 수희: 크리스마스에 학생들은 학교에 가지 않아.
> • 지윤: 크리스마스를 사 개월 동안이나 기념한다고 해.

4 우리나라와 일본의 식사 예절에서 공통점은 무엇인가요?

세부
내용

밥을 먹을 때 ☐☐☐ 을/를 사용한다.

5 ㉠에 들어갈 낱말을 쓰세요.

추론

☐☐☐

6 다음 를 읽고 바르지 <u>않은</u> 행동을 한 사람은 누구인지 쓰세요.

적용

- 나라: 일본 사람들이 밥그릇을 들고 밥을 먹는 모습을 존중했어.
- 다희: 필리핀 전통 의상을 입고 있는 사람이 우스워서 계속 놀렸어.
- 현우: 이슬람 국가에서 오른손으로만 밥을 먹는 사람들을 보고 눈살을 찌푸리지 않았어.

7 이 글의 짜임을 생각하며, 빈칸에 알맞은 말을 쓰세요.

글의
구조

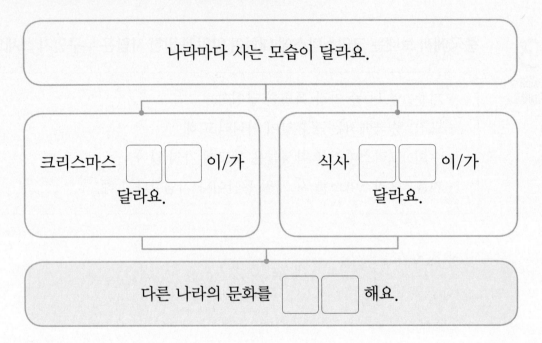

나라마다 사는 모습이 달라요.

크리스마스 [ ][ ]이/가
달라요.

식사 [ ][ ]이/가
달라요.

다른 나라의 문화를 [ ][ ]해요.

 생각 글 쓰기

🖊 이슬람 국가 사람들이 오른손으로만 밥을 먹는 까닭은 무엇일까요?

어휘 다지기

01 다음 낱말에 알맞은 뜻을 찾아 선으로 이으세요.

(1) 공휴일 •
(2) 존중 •
(3) 풍습 •

• ㉠ 높이어 귀중하게 대함.
• ㉡ 풍속과 습관을 아울러 이르는 말.
• ㉢ 국가나 사회에서 정하여 다 함께 쉬는 날.

02 아래 상황에 알맞은 낱말을 찾아 빈칸에 쓰세요.

> 공휴일   기념   풍습

(1)

한글날은
모두가 쉬는
[   ]이다.

(2)

우리나라는 추석에
강강술래를 하는
[   ]이 있다.

매일 학습 평가	맞은 문제에 표시해 주세요.						맞은 개수
1 제목 ☐	2 세부 내용 ☐	3 세부 내용 ☐	4 세부 내용 ☐	5 추론 ☐	6 적용 ☐	7 글의 구조 ☐	개

스티커를
붙여 주세요

21회 97

레고를 가지고 놀아 본 적이 있나요? 레고는 전 세계의 어린이들이 좋아하는 장난감이에요. 이렇게 인기 있는 장난감을 누가 처음으로 만들었을까요? 레고가 어떻게 만들어져서 어떻게 *변화했는지 알아보아요.

　레고를 처음 만든 사람은 덴마크의 목수 크리스티안센이에요. 크리스티안센은 나무를 잘 다듬어서 블록 모양의 장난감을 만들었어요. 이 장난감이 인기를 얻자 크리스티안센은 나무 블록을 많이 만들어 팔 수 있도록 회사를 세우고 회사 이름을 '레고'라고 붙였어요. 그래서 레고 회사가 만드는 나무 블록 이름이 레고가 되었답니다. 하지만 레고 회사에 플라스틱을 다루는 기계가 생긴 다음부터 레고를 만드는 *재료가 나무에서 플라스틱으로 바뀌었어요. 지금 우리가 가지고 노는 플라스틱 레고는 이때 생긴 것이지요.

　레고는 전 세계 어린이들의 사랑을 받았어요. 그리고 레고를 사랑하던 어린이들은 자라서 어른이 되었지요. 많은 (㉠)들은 어렸을 때 레고를 가지고 놀았던 *추억 때문에 여전히 레고를 사랑해요. 그래서 레고 회사는 어린이들은 물론 어른들도 좋아하는 레고 장난감을 많이 만들고 있어요. 레고로 만들어진 영화 캐릭터 *상품을 내놓기도 하고, 레고를 이용해서 '레고 랜드'라는 놀이동산을 만들기도 했지요. 이렇게 레고로 만든 다양한 상품은 우리 모두를 즐겁게 해 준답니다.

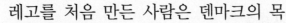

낱말 뜻 풀이 ⦁⦁⦁

• **변화**: 사물의 성질, 모양, 상태 등이 바뀌어 달라짐.　　　• **추억**: 지나간 일을 돌이켜 생각함.
• **재료**: 물건을 만드는 데 들어가는 감.　　　　　　　　• **상품**: 사고파는 물품.

---

1 이 글은 무엇에 대하여 쓴 글인가요?

핵심어 ☐☐

2 레고는 어떤 모양의 장난감인지 쓰세요.

세부
내용

☐☐ 모양

3 레고에 대하여 바르게 말하지 <u>않은</u> 것은 무엇인가요?

세부
내용

① 레고를 만드는 회사의 이름도 레고이다.

② 맨 처음 레고를 만들던 재료는 나무이다.

③ 레고를 처음 만든 사람은 크리스티안센이다.

④ 레고는 어린이들만 가지고 노는 장난감이다.

⑤ 레고를 만드는 재료가 나무에서 플라스틱으로 바뀌었다.

4 크리스티안센의 직업은 원래 무엇이었나요?

세부
내용

☐☐

5 크리스티안센이 레고 회사를 세운 까닭은 무엇일까요?

추론

① 목수 일이 지겨워졌기 때문에

② 플라스틱을 다루는 기계가 생겼기 때문에

③ 친구가 레고를 만들어 달라고 졸랐기 때문에

④ 레고 장난감을 가지고 마음껏 놀고 싶었기 때문에

⑤ 나무로 만든 블록 모양 장난감이 큰 인기를 얻었기 때문에

6 ㉠에 들어갈 낱말을 쓰세요.

추론

☐☐

7 이 글의 짜임을 생각하며, 빈칸에 알맞은 말을 쓰세요.

글의
구조

레고

어떻게 만들어졌을까?

크리스티안센이 장난감
☐☐ 을/를 세우고
회사와 장난감의 이름을
레고라고 붙였어요.

어떻게 변화했을까?

어린이는 물론 어른들도
좋아하는 레고
☐☐☐ 을/를
만들고 있어요.

생각 글 쓰기

🖋 레고 회사가 어른들도 좋아하는 레고 장난감을 만드는 까닭은 무엇일까요?

01 다음 낱말에 알맞은 뜻을 찾아 선으로 이으세요.

(1) 변화 •

(2) 상품 •

(3) 재료 •

• ㉠ 사고파는 물품.

• ㉡ 물건을 만드는 데 들어가는 감.

• ㉢ 사물의 성질, 모양, 상태 등이 바뀌어 달라짐.

02 아래 상황에 알맞은 낱말을 찾아 빈칸에 쓰세요.

> 변화   재료   추억

(1)

사진을 보면 그때의

[   ] 이/가

떠오른다.

(2)

시골이

아파트가 많은 도시로

[   ] 했다.

매일 학습 평가	맞은 문제에 표시해 주세요.						맞은 개수	
1 핵심어 ☐	2 세부 내용 ☐	3 세부 내용 ☐	4 세부 내용 ☐	5 추론 ☐	6 추론 ☐	7 글의 구조 ☐	개	

우리가 땅에 서 있으면 지구가 *편평하게 느껴지지요. 하지만 사실 지구는 공처럼 둥근 모양을 하고 있답니다. 지구가 엄청나게 크기 때문에 우리 발밑이 둥글게 느껴지지 않는 거예요. 과학 기술이 *발달한 오늘날에는 이렇게 둥근 지구의 모습을 직접 볼 수 있지요. 하지만 과학 기술이 발전하기 전에는 많은 사람들이 지구가 어떤 모양인지 궁금해했어요.

*고대 그리스 사람들은 그리스 신화에 나오는 아틀라스 신이 지구를 들고 있다고 생각했어요. *동양에 있는 많은 사람들은 땅은 네모나고 하늘은 둥글다고 생각했지요. 또 어떤 사람들은 자신이 보는 땅이 편평하기 때문에 지구가 납작한 모양이라고 여겼어요. 이처럼 과거의 사람들은 *거대한 지구가 어떤 모양으로 생겼는지 상상하고 알기 위해 노력했지만 좀처럼 알 수 없었어요.

지구가 둥글다는 사실을 세상에 알린 사람은 마젤란과 그의 부하들이었어요. 지금으로부터 약 500년 전, 마젤란은 다른 사람들이 가 보지 않은 새로운 뱃길을 찾고 싶어 했어요. 그래서 부하들을 데리고 *항해에 나섰지요. 마젤란 *탐험대는 계속해서 서쪽으로 나아갔어요. 항해를 하던 가운데 마젤란은 죽고 말았지만, 부하들은 오랜 시간 배를 타고 둥근 지구를 돌아 마침내 자신들이 살던 곳으로 돌아올 수 있었어요. 이 일 덕분에 유럽 사람들은 지구가 둥글다는 사실을 알게 되었지요.

낱말 뜻 풀이

- **편평하게**: 넓고 평평하게.
- **발달한**: 학문, 기술, 문명, 사회 등의 현상이 보다 높은 수준에 이른.
- **고대**: 역사 시대 구분의 하나로, 원시 시대와 중세 사이의 시대.
- **동양**: 유라시아 대륙의 동부 지역.
- **거대한**: 엄청나게 큰.
- **항해**: 배를 타고 바다 위를 다님.
- **탐험대**: 위험을 무릅쓰고 어떤 곳을 찾아가 살피고 조사할 목적으로 조직된 무리.

---

1 이 글에 알맞은 제목을 쓰세요.

제목 옛날 사람들이 생각한 ◻◻의 모양

2

세부
내용

지구에 대하여 바르게 말한 것은 무엇인가요?

① 지구는 매우 조그맣다.

② 지구는 네모난 모양이다.

③ 지구에는 아무도 살지 않는다.

④ 서 있을 때 지구가 둥근 것을 느낄 수 있다.

⑤ 오늘날에는 지구의 모습을 직접 볼 수 있다.

 3

세부
내용

이 글에 대하여 바르게 말하지 않은 것은 무엇인가요?

① 마젤란은 항해를 하던 가운데 죽고 말았다.

② 옛날 사람들은 지구가 어떤 모양인지 궁금해했다.

③ 마젤란 탐험대는 비행기를 타고 세계 일주를 했다.

④ 옛날에는 지구가 납작한 모양이라고 생각한 사람도 있었다.

⑤ 고대 그리스 사람들은 아틀라스 신이 지구를 들고 있다고 생각했다.

4

세부
내용

옛날 동양 사람들은 땅과 하늘이 어떤 모양이라고 생각하였는지 쓰세요.

☐ 은/는 네모난 모양이고, ☐☐ 은/는 둥근 모양이라고 생각하였다.

5

세부
내용

지구가 둥글다는 사실을 세상에 알린 사람은 누구인지 쓰세요.

☐☐☐ 와/과 그의 부하들

6 지구와 가장 비슷한 모양을 한 물건은 무엇인가요?

적용

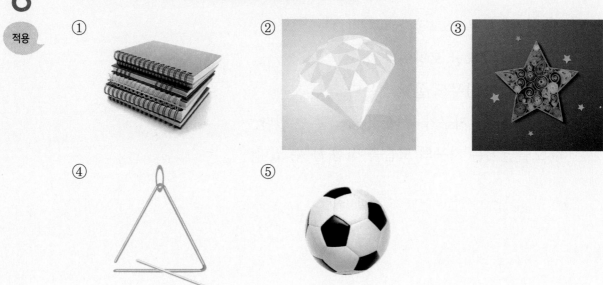

① ② ③

④ ⑤

7 이 글의 짜임을 생각하며, 빈칸에 알맞은 말을 쓰세요.

글의
구조

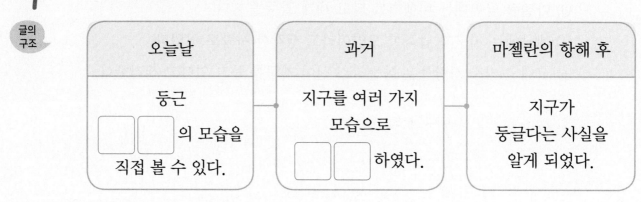

오늘날	과거	마젤란의 항해 후
둥근 ☐☐ 의 모습을 직접 볼 수 있다.	지구를 여러 가지 모습으로 ☐☐ 하였다.	지구가 둥글다는 사실을 알게 되었다.

🖊 마젤란이 부하들을 데리고 항해에 나선 까닭은 무엇일까요?

어휘 다지기

01 다음 낱말에 알맞은 뜻을 찾아 선으로 이으세요.

(1) 거대 •

(2) 고대 •

(3) 항해 •

• ㉠ 엄청나게 큼.

• ㉡ 배를 타고 바다 위를 다님.

• ㉢ 역사 시대 구분의 하나로, 원시 시대와 중세 사이의 시대.

02 아래 상황에 알맞은 낱말을 찾아 빈칸에 쓰세요.

> 동양   탐험대   항해

(1)

등대는 [   ]하는 배에게 길을 알려 준다.

(2)

[   ]이/가 북극을 조사하러 떠났다.

매일 학습 평가	맞은 문제에 표시해 주세요.						맞은 개수
1 제목 ☐	2 세부 내용 ☐	3 세부 내용 ☐	4 세부 내용 ☐	5 세부 내용 ☐	6 적용 ☐	7 글의 구조 ☐	개

스티커를 붙여 주세요

23회 105

바퀴는 자전거나 자동차에 달린 동그란 물건이에요. 바퀴가 없었다면 우리는 먼 곳을 편하게 갈 수 없고, 물건을 빨리 나를 수도 없었을 거예요. 이처럼 사람들을 °편리하게 해 주는 바퀴는 아주 오래전에 만들어진 물건이에요. 지금으로부터 약 5500년 전에 °메소포타미아 지역 사람들이 나무 바퀴를 사용한 °증거가 남아 있지요.

옛날에는 바퀴를 만들 때 얇은 °널빤지를 여러 장 붙인 다음 가장자리를 동그랗게 다듬었어요. 그래서 바퀴의 가운데가 막혀 있었지요. 하지만 현재 우리 주위에서 볼 수 있는 바퀴를 보면 가운데가 뚫려 있고 바퀴의 °중심에서 가는 선이 뻗어 나와 있지요? 이 가는 선을 바큇살이라고 불러요. 바큇살을 써서 만든 바퀴는 가운데가 막힌 바퀴보다 더 빠르게 굴러가고, 움푹 °파인 곳을 지나다닐 때 덜 흔들리지요.

바큇살이 생기고 바퀴가 더 좋아지면서 여러 가지 °탈것들이 만들어졌어요. 사람들은 원하는 곳에 빨리 갈 수 있게 되었고, 물건을 만들 재료들은 재료가 필요한 곳에 빨리 도착했어요. 바퀴 덕분에 사회가 아주 빠르게 °발전할 수 있었던 것이지요. 지금도 우리는 바퀴가 달린 탈것을 자주 이용해요. 자전거와 자동차는 물론 버스와 택시, 기차를 타고 다니지요. 이렇게 많은 곳에 쓰이는 바퀴는 아주 고마운 물건입니다.

낱말 뜻 풀이

● **편리하게**: 편하고 이로우며 이용하기 쉽게.
● **메소포타미아**: 서남아시아의 티그리스강과 유프라테스강 사이에 있는 지역.
● **증거**: 어떤 사실을 증명할 수 있는 근거.
● **널빤지**: 판판하고 넓게 켠 나뭇조각.

● **중심**: 사물의 한가운데.
● **파인**: 구멍이나 구덩이가 만들어진.
● **탈것**: 자전거, 자동차 등의 사람이 타고 다니는 물건을 통틀어 이르는 말.
● **발전**: 더 낫고 좋은 상태나 더 높은 단계로 나아감.

---

1 이 글에 알맞은 제목을 쓰세요.

제목 [ ][ ]의 발명

2 바퀴의 중심으로부터 뻗어 나온 가는 선의 이름은 무엇인가요?

☐ ☐ ☐

3 이 글에 대하여 바르게 말하지 <u>않은</u> 것은 무엇인가요?

① 바퀴는 아주 오래전에 만들어졌다.

② 바큇살이 생기고 바퀴가 더 좋아졌다.

③ 바퀴 덕분에 사회가 아주 빠르게 발전할 수 있었다.

④ 바퀴 중에는 모양이 네모난 것도 있고 동그란 것도 있다.

⑤ 옛날에는 얇은 널빤지를 여러 장 붙여서 바퀴를 만들었다.

4 바큇살을 써서 만든 바퀴의 좋은 점은 무엇인가요?

가운데가 막힌 바퀴보다 더 ☐ ☐ ☐ 굴러가고, 움푹 ☐ ☐ 곳을 지 나다닐때 덜 흔들린다.

5 바퀴가 달린 물건이 <u>아닌</u> 것은 무엇인가요?

① 택시   ② 유모차

③ 자동차   ④ 자전거

⑤ 잠수함

6 추론 바퀴가 생기고 나서 사회가 발전한 까닭은 무엇인가요?

① 사람들이 바퀴를 보면 기분이 좋아졌기 때문이다.

② 바퀴가 생기자마자 비행기와 기차가 만들어졌기 때문이다.

③ 바퀴를 만드는 기술로 다른 물건도 만들 수 있었기 때문이다.

④ 다 쓴 바퀴를 재활용해서 여러 가지 물건을 만들었기 때문이다.

⑤ 사람과 물건을 만들 재료가 가야 하는 곳에 빨리 도착하였기 때문이다.

7 글의 구조 이 글의 짜임을 생각하며, 빈칸에 알맞은 말을 쓰세요.

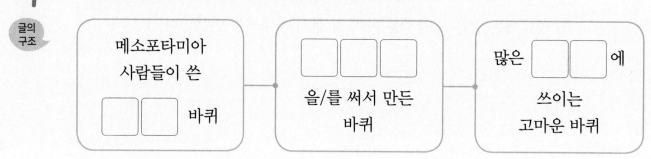

메소포타미아 사람들이 쓴 □□ 바퀴 → □□□을/를 써서 만든 바퀴 → 많은 □□에 쓰이는 고마운 바퀴

생각 글 쓰기

🖊 바퀴가 아주 오래전에 만들어졌다는 것을 알 수 있는 까닭은 무엇일까요?

어휘 다지기

01 다음 낱말에 알맞은 뜻을 찾아 선으로 이으세요.

(1) 발전 •   • ㉠ 사물의 한가운데.

(2) 중심 •   • ㉡ 어떤 사실을 증명할 수 있는 근거.

(3) 증거 •   • ㉢ 더 낫고 좋은 상태나 더 높은 단계로 나아감.

02 아래 상황에 알맞은 낱말을 찾아 빈칸에 쓰세요.

발전 증거 탈것

(1)

버스는
많은 사람들이 이용하는
☐이다.

(2)

경상남도 진주에는
공룡이 살았던
☐이/가 있다.

매일 학습 평가	맞은 문제에 표시해 주세요.						맞은 개수	
1 제목 ☐	2 세부 내용 ☐	3 세부 내용 ☐	4 세부 내용 ☐	5 적용 ☐	6 추론 ☐	7 글의 구조 ☐	개	스티커를 붙여 두세요

　우리 조상들은 아주 오랜 시간 동안 한반도에서 하나의 °민족으로 살아왔어요. 하지만 지금은 한반도가 남한과 북한으로 나뉘어 있어요. 남과 북이 나뉜 채 육십 년이 넘는 시간이 흘렀지만, 이제는 다시 °통일이 되어야 해요.

　통일이 되어야 하는 까닭은 첫째, 남한과 북한은 원래 한민족이었기 때문이에요. 남한 사람과 북한 사람은 모두 단군 할아버지를 조상으로 생각해요. 같은 한국어와 한글을 사용하고, 이름도 비슷하게 지어요. 또, 남한 사람과 북한 사람은 모두 김치를 먹고, 전통 °의상으로 한복을 입어요. 이 밖에도 서로 °공통점이 아주 많지요.

　둘째, 남한과 북한에는 이산가족이 많이 살고 있기 때문이에요. 이산가족은 다른 곳에 살면서 만나지 못하고 서로 °소식도 모르는 가족을 말해요. 이산가족들은 사랑하는 엄마, 아빠, 형제 등을 보지 못해 슬픔 속에 살고 있어요. 통일이 되어야 이산가족들이 더 이상 슬프지 않을 거예요. 그리고 예전처럼 함께 도우며 즐겁게 살 수 있을 거예요.

　셋째, 통일이 되면 남한과 북한이 땅을 함께 사용할 수 있기 때문이에요. 통일이 되면 우리는 자유롭게 백두산이나 금강산에 놀러 가고, 북한 사람들도 제주도를 구경하러 올 거예요. 또, 지금은 비행기를 타야 갈 수 있는 유럽에 기차를 타고 갈 수도 있어요. 이런 좋은 점을 누리려면 남한과 북한이 하루빨리 통일되어야 해요.

낱말 뜻 풀이 ┄┄┄┄┄┄┄┄┄┄┄┄┄┄┄┄┄┄┄┄┄┄┄┄┄┄┄┄┄┄┄┄┄┄┄

● **민족**: 일정한 지역에서 오랜 세월 동안 공동생활을 하면서 언어와 문화상의 공통성에 기초하여 역사적으로 형성된 사회 집단.
● **통일**: 나누어진 것들을 합쳐서 하나의 조직 · 체계 아래로 모이게 함.
● **의상**: 겉에 입는 옷.
● **공통점**: 둘 또는 그 이상의 여럿 사이에 두루 통하는 점.
● **소식**: 멀리 떨어져 있는 사람의 사정을 알리는 말이나 글.

---

1 이 글에 알맞은 제목을 쓰세요.

제목　[　][　] 이/가 되어야 하는 까닭

2

추론

남한과 북한의 공통점으로 알맞지 <u>않은</u> 것은 무엇인가요?

① 김치를 먹는다.

② 이산가족이 살지 않는다.

③ 전통 의상으로 한복을 입는다.

④ 같은 한국어와 한글을 사용한다.

⑤ 단군 할아버지를 조상으로 생각한다.

3

세부
내용

이 글에 대하여 바르게 말하지 <u>않은</u> 것은 무엇인가요?

① 남한과 북한은 원래 한민족이다.

② 남한과 북한은 이름을 서로 비슷하게 짓는다.

③ 통일이 되어도 유럽에 기차를 타고 갈 수 없다.

④ 남과 북이 나뉜 채 육십 년이 넘는 시간이 흘렀다.

⑤ 통일이 되면 우리는 백두산이나 금강산에 자유롭게 갈 수 있다.

4

주제

이 글에 나타난 글쓴이의 생각으로 알맞은 것은 무엇인가요?

① 비행기보다 기차가 좋다.

② 건강해지려면 김치를 먹어야 한다.

③ 전통 의상인 한복을 소중히 여겨야 한다.

④ 남한과 북한이 하루빨리 통일되어야 한다.

⑤ 북한 사람들이 제주도에 오는 것을 막아야 한다.

5

어휘

다른 곳에 살면서 만나지 못하고 서로 소식도 모르는 가족을 뜻하는 낱말을 쓰세요.

☐ ☐ ☐ ☐

6 통일이 되면 할 수 있는 일로 알맞지 <u>않은</u> 것은 무엇인가요?

적용

① 북한에 사는 친구와 사귄다.

② 북한의 평양 시내에 놀러 간다.

③ 기차를 타고 유럽에 놀러 간다.

④ 북한 사람에게 한복을 소개한다.

⑤ 북한 사람에게 서울 시내를 소개한다.

7 이 글에서 글쓴이의 생각과 그렇게 생각한 까닭으로 알맞은 말을 빈칸에 쓰세요.

글의
구조

글쓴이의 생각 ── 남과 북은 다시 통일되어야 한다.

그렇게
생각하는 까닭 ──
- 남한과 북한은 원래 ☐☐☐ 이었기 때문이다.
- 남한과 북한에 ☐☐☐☐ 이/가 많이 살고 있기 때문이다.
- 통일이 되면 남한과 북한이 ☐ 을/를 함께 사용할 수 있기 때문이다.

생각 글 쓰기

✏ 이산가족이 서로 만나야 하는 까닭은 무엇일까요?

어휘 다지기

01 다음 낱말에 알맞은 뜻을 찾아 선으로 이으세요.

(1) 공통점 •

(2) 소식 •

(3) 의상 •

• ㉠ 겉에 입는 옷.

• ㉡ 둘 또는 그 이상의 여럿 사이에 두루 통하는 점.

• ㉢ 멀리 떨어져 있는 사람의 사정을 알리는 말이나 글.

02 아래 상황에 알맞은 낱말을 찾아 빈칸에 쓰세요.

소식   의상   통일

(1)

색동옷은

여러 가지 빛깔로 된

[   ]이다.

(2)

우편집배원은 우리에게

[   ]을

전해 준다.

매일 학습 평가	맞은 문제에 표시해 주세요.						맞은 개수	
1 제목 ☐	2 추론 ☐	3 세부 내용 ☐	4 주제 ☐	5 어휘 ☐	6 적용 ☐	7 글의 구조 ☐		개

스티커를 붙여 주세요

25회 113

제주도는 우리나라에서 가장 큰 섬이에요. 오래전 °화산이 폭발하면서 섬 전체가 만들어졌지요. 그래서 우리나라의 °육지와는 다른 신기한 특성을 아주 많이 가지고 있어요. 제주도는 땅 대부분이 현무암으로 이루어져 있어요. 현무암은 구멍이 송송 뚫린 까만 돌이에요. 화산에서 흘러나온 뜨거운 °용암이 굳을 때 김이 빠져나가면서 구멍이 뚫린 돌이지요. 또, 제주도에는 오름이 많아요. 오름은 언덕처럼 얕은 산을 말하는데, 화산이 폭발할 때 그 화산 위에 생겨난 작은 화산이 바로 오름이랍니다.

제주도는 '삼다도'라는 별명이 있어요. 세 가지가 많은 섬이라는 뜻이지요. 제주도에 많은 세 가지는 돌, 바람 그리고 여자예요. 제주도는 화산으로 생긴 섬이기 때문에 돌이 많고, 바다로 둘러싸여 있기 때문에 바람이 많이 불어요. 그리고 바다에서 일하는 °해녀들이 많아요.

제주도는 육지와 멀리 떨어져 있어서 제주도만의 °사투리가 잘 남아 있어요. 예를 들어 '무싱거 하미꽈?'라는 말은 '무엇을 하십니까?'라는 뜻이에요. '어디 갔단 왐수과?'는 '어디 갔다 오십니까?'를 뜻하는 사투리이지요. 이러한 제주도의 사투리는 육지에서 쓰이는 °표준어와 많이 다르기 때문에 때로는 제주도 사람들과 이야기할 때 어려움을 겪기도 해요. 하지만 제주도 사투리는 제주도의 특성을 드러내는 소중한 말이랍니다.

낱말 뜻 풀이

- **화산**: 땅 속에 있는 가스, 마그마 등이 지각의 터진 틈을 통해 땅 밖으로 나오는 지점. 또는 그 결과로 생기는 구조.
- **육지**: 섬에 상대하여, 대륙과 연결되어 있는 땅을 이르는 말.
- **용암**: 화산의 분화구에서 분출된 마그마.
- **해녀**: 바닷속에 들어가 해삼, 전복, 미역 등을 따는 것을 직업으로 하는 여자.
- **사투리**: 어느 한 지방에서만 쓰는, 표준어가 아닌 말.
- **표준어**: 한 나라에서 공용어로 쓰는 규범으로서의 언어.

---

1 이 글은 무엇에 대하여 쓴 글인가요?

핵심어 ☐ ☐ ☐

2 제주도에 대하여 바르게 말하지 <u>않은</u> 것은 무엇인가요?

세부
내용

① 제주도에는 오름이 많다.

② 제주도는 '삼다도'라는 별명이 있다.

③ 제주도는 우리나라에서 가장 큰 섬이다.

④ 제주도에는 제주도만의 사투리가 잘 남아 있다.

⑤ 제주도에는 여자들보다 남자들이 더 많이 산다.

3 제주도에 있는 까맣고 구멍이 송송 뚫린 돌의 이름은 무엇인가요?

세부
내용

4 제주도에 많은 것 <u>두 가지</u>를 고르세요.

추론

①

②

③

④

⑤

5 '삼다도'의 뜻은 무엇인인가요?

세부
내용

[　　] 가지가 많은 [　　]

6 '사투리'와 뜻이 반대인 낱말을 찾아 쓰세요.

어휘

[　][　][　]

7 이 글의 짜임을 생각하며, 빈칸에 알맞은 말을 쓰세요.

글의
구조

제주도의
특성

[　][　] 이/가 폭발하면서 생긴 섬이다.

'삼다도'라는 [　][　] 이/가 있다.

제주도만의 [　][　][　] 이/가 잘 남아 있다.

🪰 **생각 글 쓰기**

🖊제주도가 우리나라의 육지와는 다른 특성을 많이 가지게 된 까닭은 무엇일까요?

01 다음 낱말에 알맞은 뜻을 찾아 선으로 이으세요.

(1) 용암 •

(2) 육지 •

(3) 표준어 •

• ㉠ 화산의 분화구에서 분출된 마그마.

• ㉡ 한 나라에서 공용어로 쓰는 규범으로서의 언어.

• ㉢ 섬에 상대하여, 대륙과 연결되어 있는 땅을 이르는 말.

02 아래 상황에 알맞은 낱말을 찾아 빈칸에 쓰세요.

사투리   용암   해녀

(1)

화산에서

☐ 이/가

흘러내렸다.

(2)

'옥수꾸'는 '옥수수'의

경상도, 충청도

☐ 이다.

매일 학습 평가	맞은 문제에 표시해 주세요.						맞은 개수	
1 핵심어 ☐	2 세부 내용 ☐	3 세부 내용 ☐	4 추론 ☐	5 세부 내용 ☐	6 어휘 ☐	7 글의 구조 ☐	개	

스티커를 붙여 두세요

26회 117

한옥은 우리나라 °고유의 모양과 방법으로 지은 집이에요. 오늘날 우리들은 주로 시멘트로 지은 °양옥에 살고 있어서 한옥을 볼 기회가 많지 않지만, 한옥에는 여러 가지 좋은 점이 있어요.

한옥의 가장 좋은 점은 온돌과 마루가 있다는 점이에요. 온돌은 방 밑으로 따뜻한 기운을 지나가게 하여 방바닥을 데우는 °장치예요. 외국의 벽난로처럼 공기를 데우는 것이 아니라 방바닥을 데우기 때문에 °땔감이 더 적게 들고 따뜻함이 오래가지요. 또, 방을 덥힐 때 쓰는 불로 요리도 할 수 있어서 (㉠   ). 마루는 널빤지로 된 방바닥을 말하는데, 이 방바닥은 땅과 닿지 않고 떨어져 있어서 땅바닥의 축축한 기운이 방으로 들어오지 않아요. 마루가 있으면 바람이 잘 통해서 여름에 시원하기도 하지요.

한옥의 두 번째 좋은 점은 자연을 해치지 않고 자연 그대로와 잘 어울린다는 점이에요. 한옥을 지을 때는 흙과 돌, 나무를 주로 사용하는데, 이 재료들은 다듬을 때 °공해가 생기지 않아요. 또, 이 재료로 지은 한옥에서 오래 살아도 사람에게 해가 가지 않지요.

한옥의 세 번째 좋은 점은 아름답다는 점이에요. 우리가 살고 있는 집들은 거의 네모반듯한 모양이에요. 하지만 한옥은 °처마 양쪽 끝이 하늘을 향해 부드럽게 올라가 있지요. 조상들은 예로부터 이러한 처마의 모습을 아름답다고 여겼답니다.

낱말 뜻 풀이

● **고유:** 본래부터 가지고 있는 특유한 것.
● **양옥:** 서양식으로 지은 집.
● **장치:** 어떤 목적에 따라 기능하도록 기계, 도구 등을 그 장소에 장착함. 또는 그 기계, 도구, 설비
● **땔감:** 불을 때는 데 쓰는 재료.
● **공해:** 산업이나 교통의 발달에 따라 사람이나 생물이 입게 되는 여러 가지 피해.
● **처마:** 지붕이 도리 밖으로 내민 부분.

---

1 이 글에 알맞은 제목을 쓰세요.

제목 ☐☐ 의 좋은 점

2 이 글에 대하여 바르게 말하지 <u>않은</u> 것은 무엇인가요?

세부
내용

① 한옥에는 여러 가지 좋은 점이 있다.

② 한옥을 지을 때는 흙과 돌, 나무를 주로 사용한다.

③ 마루가 있으면 바람이 잘 통해서 여름에 시원하다.

④ 한옥을 짓는 재료들을 다듬으면 자연에 해가 간다.

⑤ 한옥에서 오래 살아도 사람에게 해가 가지 않는다.

3 온돌과 마루가 무엇인지 빈칸에 알맞은 말을 쓰세요.

요약

온돌은 [ ] 밑으로 따뜻한 기운을 지나가게 하여 [ ][ ][ ] 을/를 데우는

장치이고, 마루는 [ ][ ][ ] (으)로 된 방바닥이다.

4 보기 를 보고 한옥과 양옥에 대하여 바르게 말한 것은 무엇인가요?

적용   보기

양옥   한옥

① 한옥은 네모반듯하게 생겼다.

② 한옥은 양옥과 같은 재료로 짓는다.

③ 오늘날에는 양옥보다 한옥에 사는 사람이 더 많다.

④ 우리 조상들은 네모반듯한 양옥을 아름답다고 생각했다.

⑤ 한옥은 처마 양쪽 끝이 하늘을 향해 부드럽게 올라가 있다.

▼ 정답과 해설 27쪽

5 ㉠에 들어갈 알맞은 말은 무엇인가요?

어휘

① 꿩 먹고 알 먹기랍니다.

② 빈 수레가 요란하답니다.

③ 눈 가리고 아웅이랍니다.

④ 엎친 데 덮친 격이랍니다.

⑤ 까마귀 날자 배 떨어진답니다.

6 이 글의 짜임을 생각하며, 빈칸에 알맞은 말을 쓰세요.

글의
구조

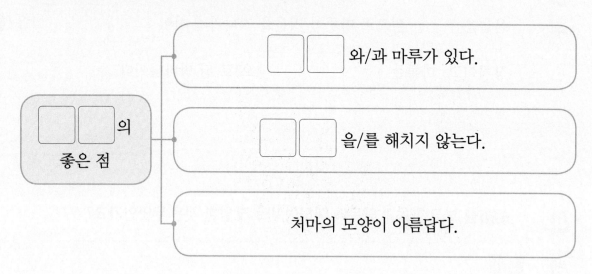

□□ 와/과 마루가 있다.

□□ 의
좋은 점

□□ 을/를 해치지 않는다.

처마의 모양이 아름답다.

생각 글 쓰기

✐ 온돌을 쓰면 땔감이 더 적게 드는 까닭은 무엇일까요?

어휘 다지기

01 다음 낱말에 알맞은 뜻을 찾아 선으로 이으세요.

(1) 땔감 •

(2) 양옥 •

(3) 처마 •

• ㉠ 서양식으로 지은 집.

• ㉡ 불을 때는 데 쓰는 재료.

• ㉢ 지붕이 도리 밖으로 내민 부분.

02 아래 상황에 알맞은 낱말을 찾아 빈칸에 쓰세요.

| 공해　　　장치　　　처마 |

(1)

[   ]에

고드름이 얼었다.

(2)

일회용품을 금지하여

[   ]를

줄여야 한다.

매일 학습 평가	맞은 문제에 표시해 주세요.					맞은 개수
1 제목 ☐	2 세부 내용 ☐	3 요약 ☐	4 적용 ☐	5 어휘 ☐	6 글의 구조 ☐	개

스티커를 붙여 주세요

27회 121

치과에서

아, 아
입을 더 크게 *벌려야 하는데
으, 으
점점 입이 *다물어진다

가 {
이를 빼야 하는데
눈물이 *먼저
*쏙
빠진다
}

— 김시민

낱말 뜻 풀이

- **벌려야**: 둘 사이를 넓히거나 멀게 하여야.
- **다물어진다**: 입술이나 그처럼 두 쪽으로 마주 보는 물건이 꼭 맞대어진다.
- **먼저**: 시간적으로나 순서상으로 앞선 때.
- **쏙**: 대번에 빠지거나 터지는 모양.

1

글의 구조

이 시는 몇 연 몇 행으로 이루어져 있는지 쓰세요.

◻ 연 ◻ 행

2

세부 내용

말하는 이가 치과에 있는 까닭은 무엇인가요?

☐ 을/를 뽑기 위해

3

추론

말하는 이가 입이 점점 다물어진다고 한 까닭은 무엇일까요?

① 이를 빼는 것이 무서웠기 때문이다.

② 입 속에 맛있는 것이 들었기 때문이다.

③ 치과 의자에 누우니 잠이 왔기 때문이다.

④ 오랜만에 치과에 와서 신이 났기 때문이다.

⑤ 의사 선생님을 도와드리고 싶었기 때문이다.

4

화자

이 시에서 말하는 이의 마음은 어떠할까요?

① 기쁘다

② 재미있다

③ 따분하다

④ 겁이 난다

⑤ 화가 난다

5

어휘

2연의 '빠진다'와 바꾸어 쓸 수 있는 낱말은 무엇인가요?

① 담는다

② 지운다

③ 흐른다

④ 그린다

⑤ 채운다

6 이 시에서 말하는 이가 겪은 일과 비슷한 경험을 말한 사람은 누구인지 쓰세요.

감상

- 여진: 비행기를 타니 기분이 좋았어.
- 수영: 학교에 지각할까 봐 막 뛰어갔어.
- 유빈: 병원에서 주사 바늘이 들어가기 전에 눈을 감았어.

7 다음 그림이 나타내는 병원을 찾아 선으로 이으세요.

적용

(1)    •

(2)   •

(3)   •

• ㉠ 안과

• ㉡ 치과

• ㉢ 피부과

생각 글 쓰기

✒ ㉮에서 그냥 운다고 하지 않고 눈물이 쏙 빠진다고 한 까닭은 무엇일까요?

어휘다지기

01 다음 낱말에 알맞은 뜻을 찾아 선으로 이으세요.

(1) 다물다 •

(2) 벌리다 •

(3) 쏙 •

• ㉠ 대번에 빠지거나 터지는 모양.

• ㉡ 둘 사이를 넓히거나 멀게 하다.

• ㉢ 입술이나 그처럼 두 쪽으로 마주 보는 물건을 꼭 맞대다.

02 아래 상황에 알맞은 낱말을 찾아 빈칸에 쓰세요.

> 다물었다   벌렸다   쏙

(1)

아저씨는
화가 나서
입을 꼭 ☐☐☐☐ .

(2)

콩꼬투리에서
콩이 ☐☐☐☐
빠져나왔다.

돌이네 흰둥이가 똥을 눴어요. 골목길 담 밑 구석 쪽이에요. 흰둥이는 조그만 강아지니까 강아지똥이에요. 날아가던 참새 한 마리가 보더니 강아지똥 곁에 내려앉아 콕콕 쪼면서

"똥! 똥! 에그, 더러워······." / 하면서 날아가 버렸어요.

"뭐야! 내가 똥이라고? 더럽다고?"

강아지똥은 화도 나고 °서러워서 눈물이 나왔어요. 바로 저만치 °소달구지 바퀴 자국에서 뒹굴고 있던 흙덩이가 °곁눈질로 흘끔 쳐다보고 빙긋 웃었어요.

"뭣 땜에 웃니, 넌?" / 강아지똥이 화가 나서 대들 듯이 물었어요.

"똥을 똥이라 않고 그럼 뭐라 부르니? 넌 똥 중에서도 가장 더러운 개똥이야!"

강아지똥은 그만 "으앙!" 울음을 터뜨려 버렸어요.

한참이 지났어요. / "강아지똥아, 내가 잘못했어. 그만, 울지 마."

흙덩이가 정답게 강아지똥을 달래었어요.

"······." / "정말은 내가 너보다 더 °흉측하고 더러울지 몰라······."

흙덩이가 얘기를 시작하자, 강아지똥도 어느새 울음을 그치고 귀를 기울였어요.

"······본래 나는 저어쪽 °산비탈 밭에서 곡식도 가꾸고 채소도 키웠지. 여름엔 보랏빛 하얀빛 감자꽃도 피우고······."

"그런데 왜 여기 와서 뒹굴고 있니?" / 강아지똥이 물었어요.

"내가 아주 나쁜 짓을 했거든. 지난여름, 비가 내리지 않고 °가뭄이 무척 심했지. 그때 내가 키우던 아기 고추를 끝까지 살리지 못하고 죽게 해 버렸단다."

"어머나! 가여워라."

"그래서 이렇게 벌을 받아 달구지에 실려 오다 떨어진 거야. 난 이제 °끝장이야."

그때 저쪽에서 소달구지가 덜컹거리며 오더니 갑자기 멈추었어요.

"아니, 이건 우리 밭 흙이잖아? 어제 싣고 오다가 떨어뜨린 모양이군. 도로 (㉠)에다 갖다 놓아야지."

소달구지 아저씨는 흙덩이를 소중하게 주워 담았어요. 소달구지가 흙덩이를 싣고 가 버리자 ㉡강아지똥이 혼자 남았어요.

– 권정생, 「강아지똥」

낱말 뜻 풀이

- **서러워서**: 원통하고 슬퍼서.
- **소달구지**: 소가 끄는 수레.
- **곁눈질**: 곁눈으로 보는 일.
- **흉측하고**: 몹시 성질이 악하고 모질고.

- **산비탈**: 산에 가파르게 기울어져 있는 곳.
- **가뭄**: 오랫동안 계속하여 비가 내리지 않아 메마른 날씨.
- **끝장**: 실패, 패망, 파탄 등을 속되게 이르는 말.

1

이 글의 주인공은 누구인가요?

인물

☐ ☐ ☐ 똥

2

강아지똥이 만난 인물을 차례대로 쓰세요.

인물

☐ ☐ 한 마리 ➡ ☐ ☐ ☐ ➡ 소달구지 ☐ ☐ ☐

3

이 글에 대하여 바르게 말하지 <u>않은</u> 것은 무엇인가요?

세부
내용

① 강아지똥은 돌이네 흰둥이가 눈 것이다.

② 강아지똥은 참새의 말을 듣고 눈물이 나왔다.

③ 흙덩이는 여름에는 보랏빛 하얀빛 감자꽃을 피웠다.

④ 소달구지 아저씨는 강아지똥을 소중하게 주워 담았다.

⑤ 흙덩이가 이야기를 시작하자 강아지똥은 이야기에 귀를 기울였다.

4

다음 빈칸에 들어갈 알맞은 말을 고르세요.

세부
내용

참새와 흙덩이는 모두 강아지똥이 ☐ ☐ ☐ 고 생각했어요.

① 귀엽다   ② 더럽다   ③ 멋있다   ④ 예쁘다   ⑤ 착하다

29
아

▼
정답과 해설 29쪽

5 **'흙덩이'에 대하여 바르게 말하지 <u>않은</u> 것은 무엇인가요?**

인물

① 밭에서 곡식과 채소를 키웠었다.

② 아기 고추를 끝까지 살리지 못했다.

③ 강아지똥을 울리고 사과하지 않았다.

④ 소달구지 바퀴 자국에서 뒹굴고 있었다.

⑤ 소달구지 아저씨가 발견하고 달구지에 실었다.

6 **㉠에 들어갈 낱말을 쓰세요.**

추론

☐

7 **㉡에서 강아지똥이 느꼈을 기분으로 알맞은 것은 무엇인가요?**

인물

① 설렘

② 기쁨

③ 외로움

④ 따분함

⑤ 두려움

생각 글 쓰기

✏️ 흙덩이가 자신이 더 흉측하고 더러울지 모른다고 말한 까닭은 무엇일까요?

어휘 다지기

01 다음 낱말에 알맞은 뜻을 찾아 선으로 이으세요.

(1) 곁눈질 •
(2) 산비탈 •
(3) 소달구지 •

• ㉠ 소가 끄는 수레.
• ㉡ 곁눈으로 보는 일.
• ㉢ 산에 가파르게 기울어져 있는 곳.

02 아래 상황에 알맞은 낱말을 찾아 빈칸에 쓰세요.

곁눈질   산비탈   서럽다

(1)

[   ](으)로
답을 훔쳐 보다
선생님께 혼났다.

(2)

[   ]에
예쁜 파란색 꽃이
피었다.

매일 학습 평가	맞은 문제에 표시해 주세요.						맞은 개수
1 인물 ☐	2 인물 ☐	3 세부 내용 ☐	4 세부 내용 ☐	5 인물 ☐	6 추론 ☐	7 인물 ☐	개

스티커를 붙여 주세요

29회 129

생쥐가 **노오란 들판**을 뛰어다니며 중얼거렸어요.

"어, 이상하다. 왜 이렇게 땅이 폭신폭신하지?"

그 순간, 생쥐는 앞으로 쭉 미끄러졌어요.

"뭐야, 감히 잠자는 사자의 코털을 건드리다니!"

"앗, 이건 사자님 목소리인데……?"

생쥐가 정신없이 뛰어다니던 들판이 바로, 사자의 허리였던 거예요. 쭉 미끄러졌다 멈춘 곳은 사자의 코였고요.

"네 이놈! 내 °단잠을 깨우고도 살아남길 원했느냐!"

"헉, 사자님, 모르고 그랬어요. °용서해 주세요."

생쥐가 두 발로 싹싹 빌며 °애원했어요. 사자는 커다란 발로 생쥐의 꼬리를 잡아 올렸어요. 생쥐가 사자의 코앞에서 대롱거리며 눈물을 흘렸답니다.

"사자님, 살려 주시면 꼭 °보답할게요."

㉠"조그만 생쥐 녀석이 무슨 보답을 하겠느냐? 됐다. 용서해 줄 테니 그만 가 보거라. 난 더 자야겠다." / 사자는 길게 하품을 하고는 생쥐를 놓아주었어요. 〈중략〉

며칠이 지났어요. 배고픈 사자가 어슬렁거리며 길을 가고 있었답니다. 그런데 갑자기 휙휙 하는 소리가 나더니, 사자 위로 그물이 뚝 떨어지는 거예요.

"헉, 사냥꾼의 그물이다!"

사자가 꼼짝도 못하게 그물이 팽팽하게 조여 왔어요. 발톱을 세워서 그물을 끊어 보려고 해도 소용없었지요.

"엉엉, 내가 이렇게 죽다니……. 믿을 수 없어."

사자의 커다란 눈에서 눈물이 뚝뚝 떨어졌어요. 그런데 그때, 생쥐가 나타났어요.

㉡"사자님, 제가 구해 드릴게요. 잠시만 기다리세요."

– 강지혜, 「사자를 구한 생쥐」

낱말 뜻 풀이

• **단잠**: 자다가 도중에 깨지 않고 죽 내쳐 자는 잠.
• **용서**: 지은 죄나 잘못한 일에 대하여 꾸짖거나 벌하지 아니하고 덮어 줌.
• **애원**: 소원이나 요구 등을 들어 달라고 애처롭게 사정하여 간절히 바람.
• **보답**: 남의 호의나 은혜를 갚음.

1 이 글의 중심 내용을 빈칸에 쓰세요.

주제

☐☐ 에게 은혜를 갚은 ☐☐

2 사자와 생쥐에 대하여 바르게 말하지 <u>않은</u> 것은 무엇인가요?

인물

① 사자는 화가 나서 생쥐를 가두었다.

② 사자는 생쥐가 잠을 깨워서 화가 났다.

③ 생쥐는 사자가 잡아먹을까 봐 겁이 났다.

④ 그물에 갇힌 사자는 눈물을 뚝뚝 흘렸다.

⑤ 생쥐는 그물에 갇힌 사자를 구해 주러 왔다.

3 사자가 잠에서 깨어난 까닭을 쓰세요.

세부
내용

생쥐가 잠자는 사자의 ☐☐ 을/를 건드렸기 때문이다.

4 '노오란 들판'이 나타내는 것이 무엇인지 쓰세요.

표현

☐☐ 의 ☐☐

5 ㉠에 담겨 있는 사자의 생각은 무엇일까요?

추론

① 생쥐의 말에 화난다.

② 생쥐의 말이 고맙다.

③ 생쥐의 말은 진심이다.

④ 생쥐를 잡아먹어야겠다.

⑤ 생쥐의 말은 중요하지 않다.

6

추론

이 글에 이어질 내용으로 알맞은 것은 무엇인가요?

① 생쥐가 사자를 비웃었다.

② 사자가 생쥐를 잡아먹었다.

③ 생쥐가 사자를 두고 가 버렸다.

④ 생쥐가 그물을 끊어 사자를 구해 주었다.

⑤ 생쥐가 사냥꾼을 불러 와서 사자를 죽게 하였다.

7

어휘

ⓒ으로 알 수 있는 생쥐의 행동을 뜻하는 말로 알맞은 것은 무엇인가요?

① 배신하다

② 반대하다

③ 칭찬하다

④ 은혜를 갚다

⑤ 모른 척하다

생각 글 쓰기

🖊 아무리 강한 사자라도 작은 생쥐를 배려해야 하는 까닭은 무엇일까요?

어휘 다지기

01 다음 낱말에 알맞은 뜻을 찾아 선으로 이으세요.

(1) 보답 •

(2) 애원 •

(3) 용서 •

• ㉠ 남의 호의나 은혜를 갚음.

• ㉡ 지은 죄나 잘못한 일에 대하여 꾸짖거나 벌하지 아니하고 덮어 줌.

• ㉢ 소원이나 요구 등을 들어 달라고 애처롭게 사정하여 간절히 바람.

02 아래 상황에 알맞은 낱말을 찾아 빈칸에 쓰세요.

보답   애원   용서

(1)

제비가 다리를 고쳐 준

☐☐☐☐ (으)로

박 씨를 주었다.

(2)

놀부는 동생 흥부에게

☐☐☐ 해 달라고

빌었다.

30회

▶ 정답과 해설 30쪽

4단계

독해력을 완성하는 **긴 독해**

😽 자신의 학습 능력과 상황에 따라 꾸준하게 공부하는 것이 가장 중요합니다.
😽 학습 계획을 먼저 세우고, 스스로 지킬 수 있도록 노력해 보세요.

집에서나 학교에서 뽀로로를 본 적이 있을 거예요. 뽀로로는 언제 보아도 참 재미있어요. 이런 뽀로로를 언제, 누가 만들었을까요? 뽀로로의 ˚출생에는 ˚비밀이 숨겨져 있어요. 이 비밀이 무엇인지 한번 알아보도록 해요.

뽀로로는 사실 만화 영화로 ˚유명한 미국의 회사나 우리나라 회사가 ˚단독으로 만든 캐릭터가 아니에요. 우리나라 회사와 북한 회사가 힘을 합쳐서 만든 캐릭터랍니다. 그중에서도 특히 「뽀롱뽀롱 뽀로로」의 앞 내용은 북한 회사가 만들었어요. 북한과 우리나라가 힘을 합한 ˚덕분에 뽀로로는 2012년도에 통일부 ˚홍보 대사가 되었어요. 통일부 홍보 대사가 되려면 '통일에 관심이 많고 자기 자리에서 통일 준비를 실천할 수 있는 ˚대중적인 ˚인사'이어야 하는데, 여기에 뽀로로가 가장 알맞았기 때문이에요.

그렇다면 펭귄 캐릭터가 어떻게 '뽀로로'라는 이름을 가지게 된 것일까요? '뽀로로'라는 이름이 어린이가 쉽게 소리 낼 수 있는 말이고 귀여운 소리가 나는 말이라서 붙은 것만은 아니에요. 국어사전에서 '쪼르르'를 찾아보면 '작은 발걸음을 ˚재게 움직여 걷거나 따라다니는 모양.'이라고 실려 있어요. 만화 영화에서 펭귄인 뽀로로가 걷는 모습과 참 잘 어울리는 말이지요? 이 '쪼르르'의 'ㅉ'이 '펭귄'의 앞 글자인 'ㅍ'으로 바뀌어 '포르르'가 되고, '포르르'가 다시 '뽀로로'가 된 것이에요. 이처럼 '뽀로로'라는 이름은 캐릭터의 특성을 잘 보여 주려는 사람들의 노력으로 만들어졌어요.

낱말 뜻 풀이

- **출생**: 세상에 나옴.
- **비밀**: 밝혀지지 않았거나 알려지지 않은 내용.
- **유명**: 이름이 널리 알려져 있음.
- **단독**: 단 한 사람.
- **덕분**: 베풀어 준 은혜나 도움.
- **홍보 대사**: 행사, 단체, 기관 등을 널리 알리려고 부탁하여 맡게 한 사람.
- **대중적인**: 수많은 사람들이 모여서 뭉친 것을 중심으로 한 것인.
- **인사**: 사회적으로 위치가 높거나 사회적 활동이 많은 사람.
- **재게**: 동작이 재빠르게.

1 이 글에서 중요한 낱말로 알맞지 <u>않은</u> 것은 무엇인가요?

핵심어

① 비밀   ② 출생

③ 학교   ④ 캐릭터

⑤ 뽀로로

2 보기의 빈칸에 들어갈 말로 알맞게 짝지어진 것은 무엇인가요?

세부
내용

보기   뽀로로는 (   )의 회사와 (   )의 회사가 힘을 합쳐서 만들게 되었
        습니다.

① 미국 – 북한

② 북한 – 일본

③ 우리나라 – 미국

④ 우리나라 – 북한

⑤ 우리나라 – 중국

3 이 글에 대하여 바르게 말하지 <u>않은</u> 것을 고르세요.

세부
내용

ㄱ '뽀로로'는 펭귄 모양의 캐릭터예요.

ㄴ '뽀로로'는 언제 보아도 재미있어요.

ㄷ '뽀로로'는 통일부 홍보 대사였어요.

ㄹ '뽀로로'라는 말은 소리 내기 어려워요.

4 다음 빈칸에 알맞은 말을 쓰세요.

어휘

'쪼르르'는 '작은 발걸음을 [ ][ ] 움직여 걷거나 따라다니는 모양.'을 나타내는
말이다.

5 다음 중 뽀로로는 어떤 동물인가요?

적용

① ② ③
④ ⑤

6 이 글의 짜임을 생각하며, 빈칸에 알맞은 말을 쓰세요.

글의
구조

| 어떻게 만들어졌을까? | 우리나라 회사와 ☐ ☐ 회사가 힘을 합해 만들었다. |

| 왜 '뽀로로'가 되었을까? | ☐ ☐ 캐릭터가 걷는 모습과 어울리는 말이 이름이 되었다. |

 생각 글 쓰기

✎ 우리나라와 북한이 함께 한 것은 또 무엇이 있을까요?

어휘 다지기

01 다음 낱말에 알맞은 뜻을 찾아 선으로 이으세요.

(1) 비밀 •   • ㉠ 세상에 나옴.

(2) 유명 •   • ㉡ 이름이 널리 알려져 있음.

(3) 출생 •   • ㉢ 밝혀지지 않았거나 알려지지 않은 내용.

02 아래 상황에 알맞은 낱말을 찾아 빈칸에 쓰세요.

> 단독   비밀   유명

(1)

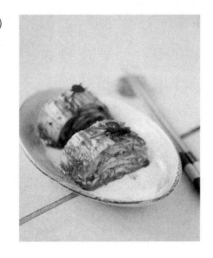

김치는 세계적으로 [   ]한 우리나라 음식이다.

(2)

내 일기장에는 [   ]이 쓰여 있다.

매일 학습 평가	맞은 문제에 표시해 주세요.					맞은 개수	
1 핵심어 ☐	2 세부 내용 ☐	3 세부 내용 ☐	4 어휘 ☐	5 적용 ☐	6 글의 구조 ☐		개

스티커를 붙여 두세요

31회 139

32회

논설문 | 인문

[겨울 2] 1. 두근두근 세계 여행

햄러윈은 미국에서 유명한 기념일이에요. 하지만 핼러윈을 맨 처음 기념한 사람들은 °북부 유럽에 살던 사람들이에요. 아주 오래전 북부 유럽에서는 10월 31일을 여름의 마지막으로 보고 11월 1일을 새해 첫날로 생각했어요. 10월 31일이 농사가 끝나고 긴 겨울이 시작되기 바로 전날이었던 것이지요. 사람들은 이 마지막 날을 살아 있는 사람들과 °이미 죽은 사람들을 구분하는 것이 어려운 날이라고 여기고 기념했어요. 바로 이것이 핼러윈의 °유래예요.

핼러윈 날에는 아이들이 집집마다 돌아다니며 '장난을 칠까요, 아니면 사탕을 주실래요?'라고 말하며 문을 두드려요. 그러면 집 안에 있는 어른들은 문을 열어 아이들에게 사탕을 나누어 주지요. 집 주변에 속이 빈 호박 장식을 걸어 놓기도 해요. 어떤 사람들은 귀신이나 유명한 캐릭터 °분장을 하며 놀고, 유령의 집을 만들어 사람들을 °놀라게 하기도 해요. 그러나 미국 사람들 모두가 핼러윈을 즐기지는 않아요. 주로 교회에 다니는 사람들은 핼러윈이 귀신을 °숭배하는 문화이기 때문에 기독교에서의 가르침과 어긋난다고 생각해요. 그래서 장난을 쳐도 사탕을 주지 않고, 사탕을 받으러 돌아다니지도 않지요.

핼러윈은 아직 우리나라에 완전히 자리 잡지 않은 문화예요. 우리는 이런 문화를 어떻게 대해야 할까요? 미국의 핼러윈 문화를 °무조건 받아들이거나 우리나라의 문화와 다르다고 무조건 싫어하는 태도는 바르지 못한 태도예요. 나라마다 다양한 문화가 있다는 것을 알고 열린 마음으로 관심을 가지는 것이 바람직한 태도예요.

낱말 뜻 풀이

● **북부**: 어떤 지역의 북쪽 부분.
● **이미**: 다 끝나거나 지난 일을 이를 때 쓰는 말.
● **유래**: 사물이나 일이 생겨남.
● **분장**: 등장인물의 성격, 나이, 특징 등에 맞게 꾸밈.

● **놀라게**: 뜻밖의 일이나 무서움에 가슴이 두근거리게.
● **숭배**: 대상을 우러러 믿고 받드는 일.
● **무조건**: 이리저리 살피지 아니하고 덮어놓고.

1 이 글에 알맞은 제목을 쓰세요.

제목

☐☐☐ 에 대하여

2 이 글에 대하여 바르게 말하지 <u>않은</u> 것의 기호를 쓰세요.

세부
내용

> ㉠ 매년 10월 31일이 핼러윈이다.
> ㉡ 핼러윈은 미국에서 처음 생겨난 기념일이다.
> ㉢ 핼러윈은 지금도 미국에서 유명한 기념일이다.
> ㉣ 옛날 북부 유럽 사람들은 11월 1일을 새해 첫날이라고 생각하였다.

3 핼러윈에 대하여 바르게 말한 것은 무엇인가요?

세부
내용

① 모든 미국 사람들이 핼러윈을 즐긴다.
② 핼러윈 날에는 호박으로 사탕을 만들어 먹는다.
③ 핼러윈은 우리나라에 완전히 자리 잡은 문화이다.
④ 기독교를 믿는 사람들은 핼러윈 날에 사탕을 주고받는다.
⑤ 핼러윈 날이면 아이들은 집집마다 사탕을 받으러 돌아다닌다.

32회 ▶ 정답과 해설 32쪽

4 다음 중 핼러윈 날의 모습으로 가장 알맞은 그림은 무엇인가요?

추론

㉮  ㉯  ㉰

5 의 상황에서 수지의 생각으로 가장 알맞은 것은 무엇인가요?

적용

보기

• 수지: 무함마드야, 삼겹살 좀 먹어 봐.

• 무함마드: 내가 사는 곳에서는 돼지고기를 먹지 않아. 그래서 나는 안 먹어.

① '왜 안 먹지? 내가 다 먹지 뭐.'

② '나도 돼지고기를 먹지 말아야지.'

③ '무함마드가 편식을 하는구나. 고쳐야 할 텐데.'

④ '무함마드는 참 이상한 아이구나. 우리랑 다르게 행동하네.'

⑤ '돼지고기를 먹지 않는 나라도 있구나. 억지로 먹게 하지 말아야지.'

6 이 글의 짜임을 생각하며, 빈칸에 알맞은 말을 쓰세요.

글의
구조

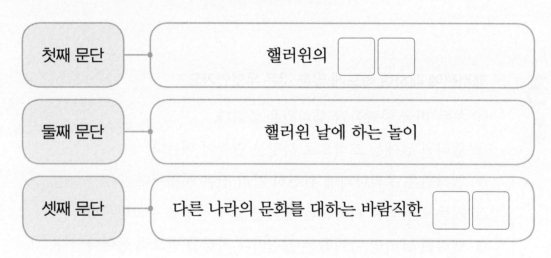

첫째 문단	핼러윈의 ☐☐
둘째 문단	핼러윈 날에 하는 놀이
셋째 문단	다른 나라의 문화를 대하는 바람직한 ☐☐

생각 글 쓰기

🖋 명절에 차례를 지내는 우리나라의 문화가 외국 사람들에게는 어떻게 느껴질까요?

어휘 다지기

01 다음 낱말에 알맞은 뜻을 찾아 선으로 이으세요.

(1) 분장 •   • ㉠ 사물이나 일이 생겨남.

(2) 숭배 •   • ㉡ 대상을 우러러 믿고 받드는 일.

(3) 유래 •   • ㉢ 등장인물의 성격, 나이, 특징 등에 맞게 꾸밈.

02 아래 상황에 알맞은 낱말을 찾아 빈칸에 쓰세요.

무조건   분장   유래

(1)

연극을 하기 위해

[   ] 을/를

하였다.

(2)

우리 가족은

[   ]

내 편이다.

매일 학습 평가	맞은 문제에 표시해 주세요.				맞은 개수	
1 제목 ☐	2 세부 내용 ☐	3 세부 내용 ☐	4 추론 ☐	5 적용 ☐	6 글의 구조 ☐	개

스티커를 붙여 주세요

32회 143

에너지는 °물체가 가지고 있는, 일을 할 수 있는 힘을 말해요. 전기는 여러 가지 물건들을 움직이게 하는 소중한 에너지 가운데 하나예요. 우리는 전기와 같은 에너지를 아껴 써야 해요. 지구의 에너지 양은 정해져 있는데, 우리가 너무 많이 쓰면 남은 에너지의 양이 줄어들기 때문이에요. 우리는 앞으로 태어나서 살아갈 사람들을 생각해야 해요. 또, 에너지를 아껴 쓰지 않으면 지구가 °오염돼요. 그 까닭은 전기를 만들 때 나쁜 °물질이 나와서 (　　　　　　ㄱ　　　　　　).

우리는 여러 °장소에서 에너지를 °낭비하고 있어요. 먼저 집 밖으로 나가면서 방의 불이나 텔레비전을 끄지 않아서 에너지를 낭비할 때가 있어요. 더운 여름에는 에어컨의 목표 온도를 추울 정도로 낮게 맞추어 전기를 낭비하기도 해요. 또 학교에서 체육 수업을 하러 운동장에 나갈 때 선풍기나 에어컨을 끄지 않고 나가기도 하지요.

소중한 에너지를 아끼기 위해서는 어떻게 해야 할까요? 사용하지 않는 곳의 전등을 끄고, 텔레비전을 보지 않을 때는 °전원을 꺼야 해요. 그리고 더운 여름이라도 실내 온도는 섭씨 24~28도로, 너무 낮지 않게 하는 것이 좋아요.

ㄴ'지구촌 불 끄기 운동' 같은 전 세계적인 운동에 함께하는 것도 에너지를 아끼는 방법이에요. 이 운동은 지구의 환경을 보호해야 한다는 사실을 전 세계적으로 알리기 위해 시작되었지요. 매년 3월 넷째 주 토요일 저녁이 되면 운동에 함께하는 사람들은 약 한 시간 정도 집 안의 모든 불을 꺼요. 그리고 에너지를 °절약하겠다고 다짐해요. 이렇게 우리는 여러 가지 방법으로 에너지를 아낄 수 있어요.

낱말 뜻 풀이

• **물체:** 구체적인 형태를 가지고 있는 물건.
• **오염:** 더럽게 물듦.
• **물질:** 물체를 이루는 부분.
• **장소:** 어떤 일이 이루어지거나 일어나는 곳.

• **낭비:** 시간이나 물건 등을 헛되이 헤프게 씀.
• **전원:** 전기 코드의 콘센트 등과 같이 기계 등에 전류가 오는 곳.
• **절약:** 함부로 쓰지 아니하고 꼭 필요한 데에만 써서 아낌.

1

핵심어

이 글에서 중요한 낱말로 알맞지 <u>않은</u> 것은 무엇인가요?

① 낭비   ② 전기

③ 절약   ④ 체육

⑤ 에너지

2

세부
내용

다음 빈칸에 알맞은 말을 쓰세요.

에너지는 ☐☐ 이/가 가지고 있는, 일을 할 수 있는 ☐ 을/를 말한다.

3

추론

㉠에 들어갈 말로 알맞은 것을 고르세요.

> ㉮ 지구의 환경을 지켜 주기 때문이지요.
>
> ㉯ 지구의 환경을 오염시키기 때문이지요.
>
> ㉰ 나무가 잘 자랄 수 있게 해 주기 때문이지요.

4

적용

다음 중 에너지를 낭비하는 행동은 무엇인가요?

① 텔레비전을 보고 나서 전원을 끈다.

② 집 밖으로 나가면서 방의 불을 끈다.

③ 여름에 창문을 활짝 열고 에어컨을 켠다.

④ 컴퓨터를 사용하고 나서 콘센트를 뽑는다.

⑤ 체육 시간에 운동장으로 나갈 때 선풍기를 끈다.

5

세부
내용

다음 빈칸에 알맞은 숫자를 쓰세요.

> 여름의 실내 온도는 섭씨 24 ~ ☐ 도로, 너무 낮지 않게 하는 것이 좋습니다.

33
야

▶ 정답과 해설 33쪽

6 ⓒ에 대하여 바르지 <u>않게</u> 말한 사람은 누구인지 쓰세요.

세부
내용

- 가영: 전 세계적인 운동이야.
- 성희: 매일 저녁 십 분 동안 불을 끄고 지내는 거야.
- 현빈: 지구의 환경을 보호해야 한다는 사실을 알리기 위해 시작되었어.
- 지섭: 사람들은 이 운동에 함께하면서 에너지를 절약하겠다고 다짐하지.

7 이 글의 짜임을 생각하며, 빈칸에 알맞은 말을 쓰세요.

글의
구조

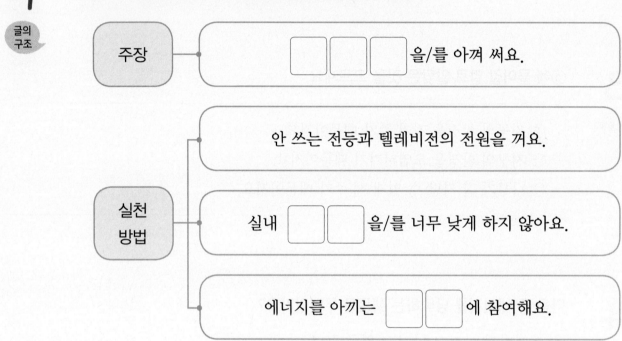

주장 ── □□□을/를 아껴 써요.

실천
방법 ──┬── 안 쓰는 전등과 텔레비전의 전원을 꺼요.
      ├── 실내 □□을/를 너무 낮게 하지 않아요.
      └── 에너지를 아끼는 □□에 참여해요.

**생각 글 쓰기**

✒️ 자신이 알고 있는 에너지 절약 방법을 쓰세요.

어휘 다지기

01 다음 낱말에 알맞은 뜻을 찾아 선으로 이으세요.

(1) 낭비 •

(2) 오염 •

(3) 절약 •

• ㉠ 더럽게 물듦.

• ㉡ 시간이나 물건 등을 헛되이 헤프게 씀.

• ㉢ 함부로 쓰지 아니하고 꼭 필요한 데에만 써서 아낌.

02 아래 상황에 알맞은 낱말을 찾아 빈칸에 쓰세요.

> 낭비 오염 전원

(1)

텔레비전의 [   ]을/를 켰다.

(2)

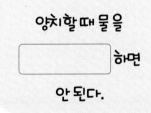

양치할 때 물을 [   ]하면 안 된다.

| 매일 학습 평가 | 맞은 문제에 표시해 주세요. | | | | | 맞은 개수 |
| 1 핵심어 ☐ | 2 세부 내용 ☐ | 3 추론 ☐ | 4 적용 ☐ | 5 세부 내용 ☐ | 6 세부 내용 ☐ | 7 글의 구조 ☐ | 개 |

스티커를 붙여 두세요

33회

▶정답과 해설 33쪽

33회 147

여러분은 몇 명의 가족과 함께 살고 있나요? 가족은 결혼으로 맺어지거나 핏줄로 이어진 사람들의 모임, 또는 그 모임을 이루는 사람을 말해요. 남편과 아내, 부모와 자식, 형제자매는 서로에게 가족이지요. 그런데 가족의 *형태는 사회가 변화하면 함께 변한답니다.

옛날에는 사람들이 주로 농사를 지으며 살았어요. 농사를 지으려면 *일손이 아주 많이 필요했기 때문에 일을 할 가족이 많으면 많을수록 좋았어요. 그래서 할머니, 할아버지와 함께 살았고 형제자매도 많았지요. 또, 공부를 가르쳐 줄 곳이 없었기 때문에 가족들에게 공부를 배워야 했어요. 이러한 까닭으로 과거에는 온 가족이 똘똘 뭉쳐 살았어요. 이렇게 식구 수가 많은 가족을 대가족이라고 불러요.

사회가 *발전하면서 공장과 회사, 학교가 많이 생겼어요. 이제 더 이상 한 집에 모여서 살 필요가 없어졌지요. 그래서 나이 드신 어르신들은 대부분 농촌에 그대로 남았지만, 많은 젊은 사람들은 일과 공부를 하기 위해 도시로 떠났어요. 도시에서 결혼을 하고 아이를 낳아 가족을 꾸렸지요. 이렇게 부부와 결혼하지 않은 어린 자녀들만 모인 가족을 핵가족이라고 불러요.

요즈음에는 가족의 모습이 더 다양해졌어요. 아이를 낳지 않고 부부끼리만 사는 가족도 생겼고, 엄마나 아빠가 아이를 혼자 키우는 가족도 많아졌지요. 또, 가족 없이 혼자 사는 1인 *가구도 늘어나고 있답니다.

낱말 뜻 풀이 -

● **형태:** 사물의 생김새나 모양.
● **일손:** 일을 하는 사람.

● **발전:** 더 낫고 좋은 상태나 더 높은 단계로 나아감.
● **가구:** 현실적으로 주거 및 생계를 같이하는 사람의 집단.

---

1 이 글에 알맞은 제목을 쓰세요.

제목 ▸ [ ][ ] 의 형태 변화

2

세부
내용

옛날에는 사람들이 주로 어떤 일을 하며 살았다고 하였나요?

① 농사를 지었다.

② 동물을 키웠다.

③ 장사를 하였다.

④ 공장에서 일하였다.

⑤ 회사에서 일하였다.

3

어휘

식구 수가 많은 가족을 뜻하는 낱말은 무엇인가요?

□□□

4

세부
내용

이 글에 대하여 바르게 말하지 <u>않은</u> 것은 무엇인가요?

① 농사를 지으려면 일손이 아주 많이 필요했다.

② 옛날에는 가족들이 공부를 가르쳐 주기도 했다.

③ 가족의 모습은 사회가 변화해도 바뀌지 않는다.

④ 요즘에는 아이를 낳지 않고 부부끼리만 사는 가족도 생겼다.

⑤ 핵가족은 부부와 결혼하지 않은 어린 자녀들만 모인 가족이다.

34회

▼ 정답과 해설 34쪽

5

추론

농촌에 살던 젊은 사람들이 도시로 떠난 까닭은 무엇일까요?

① 가족들이 싫어졌기 때문에

② 농사 지을 곳이 없어졌기 때문에

③ 도시에서 농사를 지을 수 있었기 때문에

④ 도시에서 일과 공부를 하고 싶었기 때문에

⑤ 도시에 있던 가족들이 함께 살자고 불렀기 때문에

6 를 읽고 대화를 나누었을 때 바르게 말하지 <u>않은</u> 사람은 누구인지 쓰세요.

적용

보기

철수는 농촌에서 엄마, 아빠, 할머니, 할아버지와 농사를 지으며 한집에서 살았습니다. 그러다 도시에서 일을 하고 싶어서 혼자 도시로 갔습니다. 시간이 흐르고 도시에서 결혼을 하고 아이를 낳았습니다.

- 나현: 철수는 핵가족을 이루고 사는구나.
- 준기: 철수 같은 사람은 예전보다 많아졌을 거야.
- 희정: 철수는 지금 농촌의 온 가족들과 함께 살고 있구나.

7 이 글의 짜임을 생각하며, 빈칸에 알맞은 말을 쓰세요.

글의
구조

가족의 [ ][ ] 변화

[ ]가족	핵가족	다양한 모습의 가족
식구 수가 많은 가족	부부와 결혼하지 않은 어린 [ ][ ]들만 모인 가족	– 부부만 사는 가족 – 엄마나 아빠 혼자 아이를 키우는 가족 – 1인 가구

생각 글 쓰기

✎ 옛날에 온 가족들이 똘똘 뭉쳐 살았던 까닭은 무엇일까요?

01 다음 낱말에 알맞은 뜻을 찾아 선으로 이으세요.

(1) 발전 •

(2) 일손 •

(3) 형태 •

• ㉠ 일을 하는 사람.

• ㉡ 사물의 생김새나 모양.

• ㉢ 더 낫고 좋은 상태나 더 높은 단계로 나아감.

02 아래 상황에 알맞은 낱말을 찾아 빈칸에 쓰세요.

가구 발전 일손

(1)

과학이 [ ]하면 나도 우주에 갈 수 있을 것이다.

(2)

사과를 딸 [ ]이/가 많이 필요하다.

매일 학습 평가	맞은 문제에 표시해 주세요.					맞은 개수	
1 제목 ☐	2 세부 내용 ☐	3 어휘 ☐	4 세부 내용 ☐	5 추론 ☐	6 적용 ☐	7 글의 구조 ☐	개

스티커를 붙여 두세요

34회 151

사람은 태어나서 갓난아이 *시절을 거쳐 어린이가 되지요. 그리고 또 자라서 어른이 되고 시간이 흐르면 할머니, 할아버지가 돼요. 어른은 다시 자기와 닮은 자식을 낳고, 자식은 또 자라서 어른이 되고 나이가 들어요. 사람이 이러한 *과정을 거치는 것처럼 식물도 태어나고 자라서 늙는 과정을 거친답니다. 다 자란 식물은 죽기 전에 씨앗을 남기고, 그 씨앗이 다시 자라지요. 우리는 이것을 식물의 한살이라고 불러요.

*대표적으로 벼의 한살이를 살펴볼까요? 벼의 씨앗은 볍씨라고 해요. 농부들이 정성껏 보살피면 볍씨에서 싹이 트지요. 이렇게 싹이 난 벼를 '모'라고 하는데, 농부들은 모가 어느 정도 크면 이것을 *논에 옮겨 심어요. 모는 넓은 논에서 쑥쑥 자라지요. 잎과 줄기가 자라고, 꽃이 피고, 열매가 열려요. 이 열매의 껍질을 벗기면 우리가 먹는 쌀이 되는 거예요. 그리고 껍질을 벗기지 않은 벼의 열매는 볍씨로 써요. 볍씨를 흙에 심으면 다시 (㉠)이/가 튼답니다.

사람은 다 자라서 할머니, 할아버지가 될 때까지 시간이 오래 걸리지만 식물은 대부분 우리보다 짧은 시간 안에 나이를 먹어요. 벼는 일 년 만에 씨앗에서 자라나서 열매까지 맺고 죽어요. 이러한 식물은 한 *해만 살고 죽는다고 해서 한해살이 식물이라고 불러요. 그리고 여러 해 동안 살아 있는 식물은 여러해살이 식물이라고 부르지요. 한해살이 식물은 열매도 한 해 동안만 맺지만, 여러해살이 식물은 여러 해를 살면서 여러 번 열매를 맺어요. 옥수수, 강낭콩 같은 식물이 한해살이 식물에 *속하고, 민들레나 사과나무 같은 식물이 여러해살이 식물에 속한답니다.

낱말 뜻 풀이

● **시절**: 일정한 시기나 때.
● **과정**: 일이 되어 가는 경로.
● **대표**: 전체의 상태나 성질을 어느 하나로 잘 나타냄.
● **논**: 물을 대어 주로 벼를 심어 가꾸는 땅.
● **해**: 지구가 태양을 한 바퀴 도는 동안.
● **속하고**: 관계되어 딸리고.

1 이 글에 알맞은 제목을 쓰세요.

제목
식물의 [　] [　] [　]

2 벼의 한살이 과정에 알맞게 보기에서 낱말을 찾아 빈칸에 쓰세요.

적용 보기
꽃, 모, 볍씨, 잎

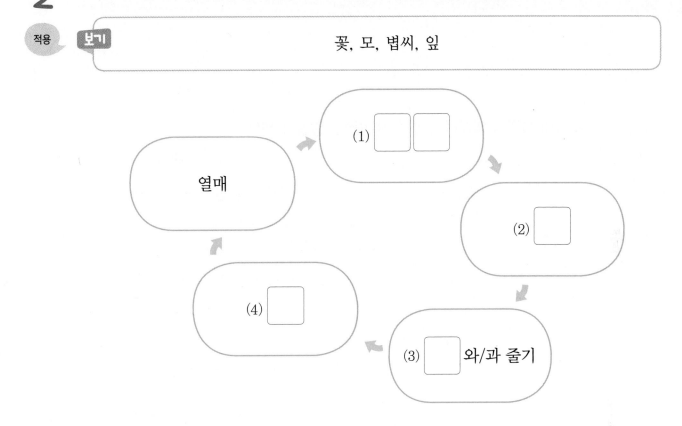

열매

(1) [　] [　]

(2) [　]

(3) [　] 와/과 줄기

(4) [　]

3 싹이 난 벼를 부르는 낱말은 무엇인가요?

어휘
[　]

4 ㉠에 들어갈 낱말을 쓰세요.

추론
[　]

5 이 글에서 여러해살이 식물 두 가지를 찾아 쓰세요.

세부
내용
[　][　][　] , [　][　][　][　]

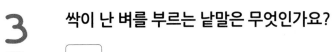

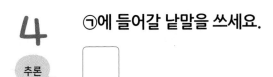
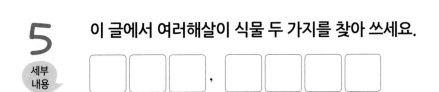

6 다음 빈칸에 알맞은 말을 쓰세요.

세부
내용

한해살이 식물은 □ □ 만 살며 열매도 한 번 맺지만, 여러해살이 식물은 여

러 해를 살면서 □ □ 번 열매를 맺는다.

7 이 글의 짜임을 생각하며, 빈칸에 알맞은 말을 쓰세요.

글의
구조

식물의 □ □ □ 이/가 무엇인지 알아보기

↓

□ 의 한살이 살펴보기

↓

□ □ 살이 식물과 여러해살이 식물 비교하기

생각 글 쓰기

🖊 쌀과 볍씨의 다른 점은 무엇일까요?

어휘 다지기

01 다음 낱말에 알맞은 뜻을 찾아 선으로 이으세요.

(1) 과정 •

(2) 논 •

(3) 해 •

• ㉠ 일이 되어 가는 경로.

• ㉡ 지구가 태양을 한 바퀴 도는 동안.

• ㉢ 물을 대어 주로 벼를 심어 가꾸는 땅.

02 아래 상황에 알맞은 낱말을 찾아 빈칸에 쓰세요.

> 과정　　　논　　　속하다

(1)

농부 아저씨께서 [　　　　　]에 모를 옮겨 심고 있다.

(2)

그릇이 만들어지는 [　　　　　]을/를 지켜보았다.

매일 학습 평가	맞은 문제에 표시해 주세요.						맞은 개수	
1 제목 ☐	2 적용 ☐	3 어휘 ☐	4 추론 ☐	5 세부 내용 ☐	6 세부 내용 ☐	7 글의 구조 ☐	개	스티커를 붙여 주세요

35회　155

우리는 이웃과 함께 살고 있어요. 이웃은 옆 °건물에 살기도 하고, 바로 윗집, 아랫집, 옆집에 살기도 해요. 이렇게 가까운 곳에 이웃이 살기 때문에 우리는 집 안에서 여러 가지 소리를 들을 수 있어요. 우리 집에서 나는 여러 가지 소리를 이웃이 듣기도 하지요. °정답고 기분 좋은 소리가 오갈 때도 있지만, 항상 듣기 좋은 소리만 나누는 것은 아니에요. 듣기 싫은 소리를 들으면 기분이 나빠지고, 이웃과의 사이도 안 좋아질 거예요. 그렇기 때문에 우리는 이웃 간에 듣기 싫은 소리는 줄이고 듣기 좋은 소리는 나눌 수 있도록 노력해야 해요.

밤이 깊은 시간에 피아노 치는 소리, 청소기와 세탁기 돌리는 소리는 듣기 싫은 소리예요. 이런 소리는 늦은 시간에 이웃들이 쉬는 것을 °방해해요. 집 안에서 쿵쿵 뛰어다니는 소리도 아주 듣기 싫은 소리예요. 뛰는 사람은 즐거울지 몰라도, 옆집과 아랫집에 사는 이웃들은 °소음 때문에 잠을 이룰 수 없어요.

반대로 이웃 간에 인사하는 소리는 듣기 좋은 소리예요. 집 앞이나 엘리베이터에서 이웃을 만나면 반갑게 인사해요. 이웃과 부딪치면 먼저 "죄송합니다."라고 사과해요. 또, 이웃에게 도움을 받으면 "고맙습니다."라고 인사해요. 이런 소리를 자주 나누면 이웃끼리 사이좋게 지낼 수 있어요.

우리는 모두 혼자 살 수 없어요. 그러므로 이웃에게 °피해를 주지 않고, 우리도 피해를 입지 않도록 서로 조금씩 °조심해야 해요.

낱말 뜻 풀이 ┄┄

● **건물**: 사람이 들어 살거나, 일을 하거나, 물건을 넣어 두기 위하여 지은 집을 통틀어 이르는 말.
● **정답고**: 따뜻한 정이 있고.
● **방해**: 남의 일을 간섭하고 막아 해를 끼침.

● **소음**: 불규칙하게 뒤섞여 불쾌하고 시끄러운 소리.
● **피해**: 생명이나 신체, 재산, 명예 등에 손해를 입음.
● **조심**: 잘못이나 실수가 없도록 말이나 행동에 마음을 씀.

1 이 글에 알맞은 제목을 쓰세요.

제목

⬜⬜ 간에 듣기 ⬜⬜ 소리가 나지 않게 노력해요.

2 이 글에 대하여 바르게 말하지 <u>않은</u> 것은 무엇인가요?

세부
내용

① 이웃은 우리와 가까운 곳에 산다.

② 이웃과 부딪치면 먼저 사과해야 한다.

③ 이웃끼리는 항상 즐거운 소리만 나누고 있다.

④ 엘리베이터에서 이웃을 만나면 인사해야 한다.

⑤ 집 안에서 쿵쿵 뛰어다니면 이웃들이 잠을 잘 수 없다.

3 다음 중 이웃 간에 듣기 좋은 소리는 무엇인가요?

추론

① 개가 짖는 소리

② 밤늦게 리코더 부는 소리

③ 집 안에서 쿵쿵 뛰는 소리

④ "안녕하세요." 하고 인사하는 소리

⑤ 밤이 깊은 시간에 세탁기 돌리는 소리

4 이 글에서 듣기 싫은 소리를 뜻하는 낱말을 찾아 쓰세요.

어휘

⬜⬜

5 이웃에게 도움을 받으면 어떤 말로 인사해야 하는지 쓰세요.

세부
내용

⬜⬜⬜⬜⬜.

▶ 정답과 해설 36쪽

6 보기와 같은 상황에서 해야 할 말을 빈칸에 쓰세요.

> **보기**
>
> 지윤이는 오랜만에 반 친구들이 놀러 와서 기분이 좋았어요. 그래서 밤늦게까지 음악을 크게 틀어 놓고 즐겁게 놀았어요. 그런데 아랫집 성준이네 부모님께서 막 잠에서 깬 모습으로 찾아오셨어요. 그리고는 음악 소리가 너무 시끄럽다고 하셨어요. 이럴 때 지윤이는 성준이네 부모님께 어떤 말씀을 드려야 할까요?

• 지윤: 밤늦게 시끄럽게 해서 ☐☐☐☐☐.

7 이 글의 짜임을 생각하며, 빈칸에 알맞은 말을 쓰세요.

주장 ── ☐☐ 간에 듣기 싫은 소리가 나지 않게 노력해요.

실천 방법 ──
- 밤이 늦은 시간에 피아노를 치지 않아요.
- 밤이 늦은 시간에 ☐☐☐와/과 세탁기를 돌리지 않아요.
- ☐☐에서 쿵쿵 뛰어다니지 않아요.
- 이웃 간에 서로 인사해요.

생각 글 쓰기

🖊 밤늦게 피아노를 치면 안 되는 까닭은 무엇일까요?

어휘 다지기

01 다음 낱말에 알맞은 뜻을 찾아 선으로 이으세요.

(1) 방해 •   • ㉠ 남의 일을 간섭하고 막아 해를 끼침.

(2) 조심 •   • ㉡ 생명이나 신체, 재산, 명예 등에 손해를 입음.

(3) 피해 •   • ㉢ 잘못이나 실수가 없도록 말이나 행동에 마음을 씀.

02 아래 상황에 알맞은 낱말을 찾아 빈칸에 쓰세요.

> 건물   방해   소음

(1)

학교 앞에

새 [   ]이/가

생겼다.

(2)

소방차가 지나가는 것을

[   ]하면

안 된다.

36회
▶ 정답과 해설 36쪽

매일 학습 평가 맞은 문제에 표시해 주세요.   맞은 개수

1 제목	2 세부 내용	3 추론	4 어휘	5 세부 내용	6 적용	7 글의 구조	
☐	☐	☐	☐	☐	☐	☐	개

스티커를
붙여 주세요

가 겨울에는 눈썰매, 스키, 스케이트 등 많은 놀이와 운동을 할 수 있어요. 연날리기도 예로부터 우리나라 사람들이 겨울에 즐겨 하던 전통 놀이 가운데 하나예요. 연날리기는 아이들뿐만 아니라 어른들도 좋아하는 놀이였는데, 연 중에는 가오리 모양으로 만들어 꼬리를 길게 단 가오리연과 방패 모양으로 만든 방패연이 가장 유명하지요. 사람들은 주로 °연초인 설날부터 °정월 대보름까지의 시기에만 연날리기를 했어요. 그 까닭은 날씨가 따뜻해지면 농사를 지어야 했기 때문이에요. 사람들은 연에 나쁜 일을 적어 멀리 날려 보내면서 일 년 내내 좋은 일만 있기를 바랐지요.

나 연날리기를 잘하려면 어떻게 해야 할까요? 우선 °적극적인 자세를 가져야 해요. 연날리기는 겨울에 추위에 맞서며 하는 놀이이기 때문이에요. 우리는 연날리기를 하면서 추위를 이기고 °체력도 기를 수 있어요. 또한 연날리기를 할 때는 바람을 잘 이용할 줄 알아야 해요. 연은 바람을 타고 올라가는데, 바람이 부는 날에 바람이 흐르는 방향으로 연을 띄워 °최대한 바람을 이용해야 하지요. 이렇게 연의 머리는 바람을 세게 마주해야 하기 때문에 연을 만들 때 꼬리 부분보다 더 튼튼하게 만들어야 연날리기를 잘할 수 있어요.

다 연날리기는 우리나라에만 있는 놀이일까요? 그렇지 않아요. 연날리기는 우리나라 외에도 중국, 일본 등 (㉠)의 여러 나라들에서 즐기는 놀이예요. 하지만 연의 모양은 나라마다 다르답니다. 특히 우리나라는 각 지역의 생김새나 바람 부는 양에 따라 연의 모양을 다르게 만들었어요. 그래서 우리나라의 여러 가지 연에는 °개성이 담겨 있지요.

낱말 뜻 풀이

• **연초**: 새해가 시작되는 때.
• **정월 대보름**: 음력 1월 15일을 이르는 말.
• **적극적**: 어떤 일이나 사람에 대한 태도가 긍정적이고 스스로 움직이는 것.

• **체력**: 육체적 활동을 할 수 있는 몸의 힘.
• **최대한**: 일정한 조건에서 가능한 한 가장 많이.
• **개성**: 각각 구별되는 처음부터 가지고 있는 특성.

1 핵심어

이 글은 무엇에 대하여 쓴 글인가요?

2 적용

㉮를 읽고 다음 그림에 알맞은 연의 이름을 쓰세요.

(1)

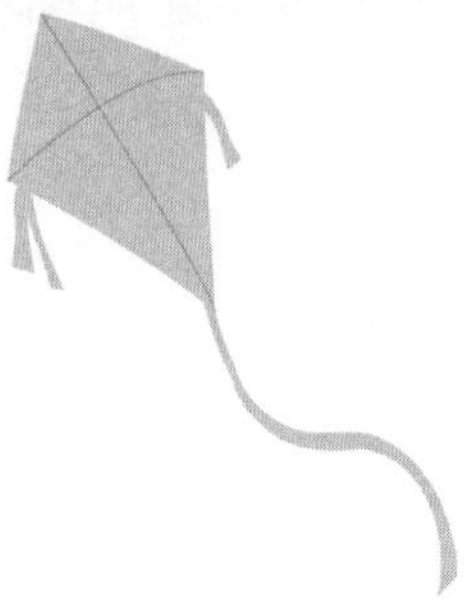

(2)

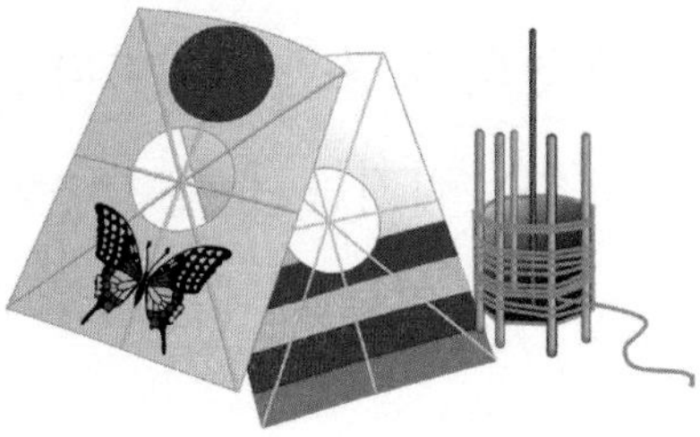

3 세부 내용

㉮에 대하여 바르게 말한 것은 무엇인가요?

① 연날리기는 여름에 하는 놀이이다.

② 연날리기는 아이들만 하는 놀이이다.

③ 연날리기는 다른 나라에서 들어온 놀이이다.

④ 연에 나쁜 일을 적어 멀리 날려 보내기도 하였다.

⑤ 사람들은 날씨가 따뜻해지는 시기에만 연날리기를 하였다.

4 세부 내용

㉯에서 말한 내용으로 알맞지 않은 것은 무엇인가요?

① 연날리기로 체력을 기를 수 있다.

② 연날리기를 할 때는 바람을 잘 이용해야 한다.

③ 연날리기를 할 때는 적극적인 자세로 해야 한다.

④ 연을 띄울 때는 바람이 흐르는 방향으로 띄워야 한다.

⑤ 연을 만들 때 꼬리 부분은 머리 부분보다 튼튼하게 만들어야 한다.

▶ 정답과 해설 37쪽

5

어휘

㉠에 들어갈 알맞은 낱말은 무엇인가요?

① 유럽　　　　　　　　　② 아시아

③ 아프리카　　　　　　　④ 남아메리카

⑤ 북아메리카

6

추론

이 글에 대한 생각으로 알맞은 것에 ○표, 알맞지 <u>않은</u> 것에 ×표를 하세요.

(1) 연의 모양은 지역마다 다 똑같구나.　　　　　　　　　　　　　（　　　　）

(2) 연날리기는 우리나라에서만 하는 놀이였구나.　　　　　　　（　　　　）

(3) 연을 날릴 때에는 바람의 방향을 잘 봐야겠구나.　　　　　　（　　　　）

7

글의
구조

이 글의 짜임을 생각하며, 빈칸에 알맞은 말을 쓰세요.

가	우리나라의 　　　　 놀이인 연날리기
나	연날리기를 잘하는 방법
다	이/가 담긴 우리나라의 연

생각 글 쓰기

🖊 우리나라의 전통 놀이는 또 무엇이 있을까요?

어휘 다지기

01 다음 낱말에 알맞은 뜻을 찾아 선으로 이으세요.

(1) 개성 •

(2) 연초 •

(3) 체력 •

• ㉠ 새해가 시작되는 때.

• ㉡ 육체적 활동을 할 수 있는 몸의 힘.

• ㉢ 각각 구별되는 처음부터 가지고 있는 특성.

02 아래 상황에 알맞은 낱말을 찾아 빈칸에 쓰세요.

연초   정월 대보름   체력

(1)

달리기를 하면

▢ 을/를

기를 수 있다.

(2)

부럼은

▢ 에 먹는

음식이다.

매일 학습 평가	맞은 문제에 표시해 주세요.						맞은 개수	
1 핵심어 ▢	2 적용 ▢	3 세부 내용 ▢	4 세부 내용 ▢	5 어휘 ▢	6 추론 ▢	7 글의 구조 ▢	개	

37회 163

가 뽕나무

㉠숲 속에 °냄새나면
모두들 나를 °의심한다.
엄나무 할아버지는 엄엄 하며
엄하게 바라보시고
대나무 아저씨는 댁끼놈 야단치시고
참나무 아저씨가 참아라 하신다.
사람들이 갖다 버린 쓰레기 때문에 나는 냄새에도
방귀도 안 뀐 나만 혼난다, °억울하다.

– 정세기

나 하루

하루 앓고
온 학교
남의 학교 같다.

°게시판엔 그림도
바뀌었고,

㉡눈 큰 낯선 아이
앞에 앉았다.

선생님 묻는 말씀
영 모르겠는데,

– 예!
– 예!
모두들 손을 든다.

아파 누운 하루 고 사이.

– 김동극

낱말 뜻 풀이

• 냄새: 코로 맡을 수 있는 여러 가지 기운.
• 의심한다: 확실히 알 수 없어서 믿지 못한다.
• 억울하다: 아무 잘못 없이 꾸중을 들어 분하고 답답하다.
• 게시판: 여러 사람에게 알릴 내용을 모두 보게 붙이는 판.

1 ㉮에서 일이 일어난 곳은 어디인지 쓰세요.

배경

□ □

2 ㉮에서 말하는 이는 누구인가요?

화자

① 대나무   ② 뽕나무

③ 소나무   ④ 엄나무

⑤ 참나무

3 ㉠의 까닭으로 알맞은 것은 무엇인가요?

표현

① '나'는 날마다 많이 먹기 때문이다.

② '나'는 방귀 뀌는 것을 좋아하기 때문이다.

③ '나'는 날마다 방귀를 많이 뀌기 때문이다.

④ 방귀 소리와 '나'의 이름의 소리가 같기 때문이다.

⑤ '나'는 방귀를 뀌고도 안 뀌었다고 거짓말을 했었기 때문이다.

4 ㉯에 대하여 바르게 말하지 <u>않은</u> 것은 무엇인가요?

세부
내용

① '나'는 학교가 낯설다.

② '나'는 낯선 아이 앞에 앉았다.

③ 친구들은 질문에 잘 대답하였다.

④ 교실 게시판에 그림이 그대로 있었다.

⑤ 선생님은 '나'와 친구들에게 질문을 하셨다.

5 **①**의 말하는 이가 하루 동안 학교에 오지 <u>않은</u> 까닭은 무엇인가요?

세부
내용

① 아팠기 때문이다.

② 친구와 싸웠기 때문이다.

③ 여행을 다녀왔기 때문이다.

④ 학교에 가기 싫었기 때문이다.

⑤ 할머니 댁에 다녀왔기 때문이다.

6 **①**의 ⓛ은 누구인지 쓰세요.

추론

다른 학교에서 [ ][ ] 온 아이

7 **②**와 **④**를 읽고 바르게 말한 사람은 누구인지 쓰세요.

감상

- 가윤: **②**는 3연, **④**는 6연으로 되어 있어.
- 나희: **②**에서 말하는 이의 즐거운 마음이 느껴져.
- 서현: **④**의 말하는 이는 학교가 낯설게 느껴지는구나.
- 진후: **④**의 말하는 이는 눈 큰 아이와 친하게 지내고 싶나 봐.

생각 글 쓰기

✏ **②**의 말하는 이가 의심받지 않기 위하여 우리가 도와줄 수 있는 방법은 무엇일까요?

어휘 다지기

01 다음 낱말에 알맞은 뜻을 찾아 선으로 이으세요.

(1) 냄새 •

(2) 억울 •

(3) 의심 •

• ㉠ 코로 맡을 수 있는 여러 가지 기운.

• ㉡ 확실히 알 수 없어서 믿지 못하는 마음.

• ㉢ 아무 잘못 없이 꾸중을 들어 분하고 답답함.

02 아래 상황에 알맞은 낱말을 찾아 빈칸에 쓰세요.

게시판   냄새   의심

(1)

친구가 거짓말을

하였다고 나를

[   ]하였다.

(2)

빵집에서 빵을 굽는

[   ]이/가 난다.

▶ 정답과 해설 38쪽

매일 학습 평가	맞은 문제에 표시해 주세요.						맞은 개수	
1 배경 ☐	2 화자 ☐	3 표현 ☐	4 세부 내용 ☐	5 세부 내용 ☐	6 추론 ☐	7 감상 ☐	개	스티커를 붙여 주세요

38회 167

겨울이 다가오자, 작은 들쥐들은 옥수수와 나무 열매와 밀과 ˚짚을 모으기 시작했습니다. 들쥐들은 밤낮없이 열심히 일했습니다. 단 한 마리, 프레드릭만 빼고 말입니다.

"프레드릭, 넌 왜 일을 안 하니?"

들쥐들이 물었습니다.

"나도 일하고 있어. 난 춥고 어두운 겨울날들을 위해 햇살을 모으는 중이야."

프레드릭이 대답했습니다.

어느 날, 들쥐들은 ˚동그마니 앉아 풀밭을 내려다보고 있는 프레드릭을 보았습니다. 들쥐들은 또다시 물었습니다.

"프레드릭, 지금은 뭐 해?"

"색깔을 모으고 있어. 겨울엔 온통 ˚잿빛이잖아."

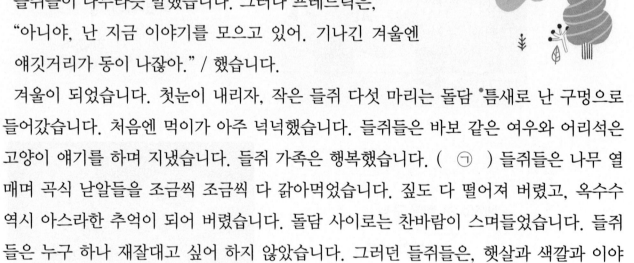

프레드릭이 짤막하게 대답했습니다.

한 번은 프레드릭이 조는 듯이 보였습니다.

"프레드릭, 너 꿈꾸고 있지?"

들쥐들이 나무라듯 말했습니다. 그러나 프레드릭은,

"아니야, 난 지금 이야기를 모으고 있어. 기나긴 겨울엔 얘깃거리가 동이 나잖아." / 했습니다.

겨울이 되었습니다. 첫눈이 내리자, 작은 들쥐 다섯 마리는 돌담 ˚틈새로 난 구멍으로 들어갔습니다. 처음엔 먹이가 아주 넉넉했습니다. 들쥐들은 바보 같은 여우와 어리석은 고양이 얘기를 하며 지냈습니다. 들쥐 가족은 행복했습니다. (㉠) 들쥐들은 나무 열매며 곡식 낟알들을 조금씩 조금씩 다 갉아먹었습니다. 짚도 다 떨어져 버렸고, 옥수수 역시 아스라한 추억이 되어 버렸습니다. 돌담 사이로는 찬바람이 스며들었습니다. 들쥐들은 누구 하나 재잘대고 싶어 하지 않았습니다. 그러던 들쥐들은, 햇살과 색깔과 이야기를 모은다고 했던 프레드릭의 말이 생각났습니다.

– 레오 리오니, 「프레드릭」

낱말 뜻 풀이

- ˚짚: 벼, 보리, 밀, 조 등의 이삭을 떨어낸 줄기와 잎.
- ˚동그마니: 사람이나 사물이 외따로 오뚝하게 있는 모양.
- ˚잿빛: 재의 빛깔과 같이 흰빛을 띤 검은빛.
- ˚틈새: 벌어져 난 틈의 사이.

1

인물

이 글의 주인공의 이름을 쓰세요.

☐ ☐ ☐ ☐

2

세부
내용

들쥐들이 겨울을 맞이하기 위해 모으지 <u>않은</u> 것은 무엇인가요?

① 밀   ② 짚   ③ 치즈

④ 옥수수   ⑤ 나무 열매

3

세부
내용

프레드릭이 모은 것을 차례대로 쓰세요.

 ➡ ➡

4

어휘

'잿빛'은 어떤 색깔인가요?

①    ②    ③

④    ⑤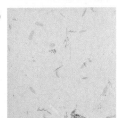

정답과 해설 39쪽

5

어휘

㉠에 들어갈 말로 알맞은 것은 무엇인가요?

① 즉   ② 그래서

③ 따라서   ④ 그러나

⑤ 왜냐하면

6

감상

다른 들쥐들이 생각한 프레드릭의 성격으로 알맞은 것은 무엇인가요?

① 귀엽다

② 게으르다

③ 부지런하다

④ 장난꾸러기이다

⑤ 거짓말쟁이이다

7

추론

이 글에 이어질 내용으로 알맞은 것은 무엇인가요?

① 들쥐들은 프레드릭을 도우러 갔다.

② 들쥐들은 봄이 올 때까지 가만히 기다렸다.

③ 들쥐들은 프레드릭의 말을 다시 잊어버렸다.

④ 들쥐들은 프레드릭에게 도움을 구하러 찾아갔다.

⑤ 들쥐들은 프레드릭 말고 또 다른 들쥐를 생각하였다.

생각 글 쓰기

🖊 프레드릭처럼 여러 사람들의 의견과 다른 의견을 가진 친구를 어떻게 대해야 할까요?

01 다음 낱말에 알맞은 뜻을 찾아 선으로 이으세요.

(1) 잿빛 •

(2) 짚 •

(3) 틈새 •

• ㉠ 벌어져 난 틈의 사이.

• ㉡ 재의 빛깔과 같이 흰빛을 띤 검은빛.

• ㉢ 벼, 보리, 밀, 조 등의 이삭을 떨어낸 줄기와 잎.

02 아래 상황에 알맞은 낱말을 찾아 빈칸에 쓰세요.

동그마니   잿빛   틈새

(1)

미세먼지 때문에

하늘이 온통

☐ 이다.

(2)

돌 ☐ 에

작은 꽃이

피었다.

매일 학습 평가	맞은 문제에 표시해 주세요.						맞은 개수
1 인물 ☐	2 세부 내용 ☐	3 세부 내용 ☐	4 어휘 ☐	5 어휘 ☐	6 감상 ☐	7 추론 ☐	개

스티커를 붙여 두세요

39회 171

39 회

▶ 정답과 학습 39쪽

옛날옛날, 어느 마을에 박 영감이 살았어요. 박 영감은 아주 지독한 °구두쇠였어요. 어렸을 때 몹시 가난했던 박 영감은 뭐든지 아끼고 아껴서 °악착같이 °재산을 모았어요. 그래서 나이 들어서는 제법 큰 (㉠)이/가 되었지만, 여전히 아껴 쓰는 버릇이 몸에 배어 있었지요.

하루는 이웃집 영감이 망치를 빌리러 왔어요.

"금방 쓰고 돌려줄 테니, 망치 좀 빌려주게." / "망치로 뭘 하려고 그러나?"

"이 사람 참, 망치로 뭘 하겠나? (㉡   )."

"어디 못 박는 일이 보통 일인가? 힘이 많이 들 것이 아닌가? 그럼, 우리 망치가 그만큼 닳을 게 뻔한데, 어떻게 자네에게 망치를 빌려주겠나?"

"알았네, 알았어. 내가 잘못 찾아왔네."

또 하루는 식구들이 밥을 먹다 말고 반찬 °투정을 했어요.

"아버지, 날마다 꽁보리밥에 간장만 먹으니 기운이 없어요."

"그래요, 영감. 생선이라도 한 마리 사다 먹읍시다."

"그래? 좋아, 내가 생선을 실컷 먹게 해 주지, 암."

박 영감은 당장 시장에 가서 짭짤한 자반고등어 한 (㉢)을/를 사 왔어요. 부인은 이게 꿈인가 °생시인가 싶어, 입이 헤 벌어졌지요. 아이들은 군침을 꿀꺽꿀꺽 삼켰어요. 박 영감은 고등어를 천장에 대롱대롱 매달았어요.

"자, 이제 먹자. 밥 한 °술 떠먹고, 고등어 한 번 바라보는 거야."

그러더니 박 영감이 먼저 °시범을 보였어요. 밥 한 술 떠먹고, 고등어 한 번 바라보고 / "아, 짜다!"

또 밥 한 술 떠먹고, 고등어 한 번 바라보고 / "아, 짜다!"

식구들은 입이 한 뼘은 튀어나온 채 밥을 먹었어요. 그러다 아들이 밥 한 술에 고등어를 두 번 바라보지 않았겠어요?

"이놈! 짜겠다, 짜. 얼마나 물을 마시려고 두 번씩이나 바라보느냐?"

이쯤 되니 사람들이 박 영감더러 세상에 둘도 없는 구두쇠라고 할 만했지요.

－「구두쇠 이야기」

낱말 뜻 풀이

- **구두쇠**: 돈이나 재물 등을 쓰는 데에 몹시 인색한 사람.
- **악착같이**: 매우 모질고 끈덕지게.
- **재산**: 재화와 자산을 통틀어 이르는 말.
- **투정**: 무엇이 모자라거나 못마땅하여 떼를 쓰며 조르는 일.
- **생시**: 자거나 취하지 아니하고 깨어 있을 때.
- **술**: 밥 등의 음식물을 숟가락으로 떠 그 분량을 세는 단위.
- **시범**: 모범을 보임.

1 핵심어
이 글의 박 영감은 어떤 사람인지 쓰세요.

2 인물
박 영감에 대하여 바르게 말하지 <u>않은</u> 것은 무엇인가요?

① 박 영감은 아껴서 부자가 되었다.
② 박 영감은 어렸을 때부터 부자였다.
③ 박 영감은 가족에게 쓸 돈을 매우 아꼈다.
④ 박 영감은 이웃에게 물건을 잘 빌려주지 않았다.
⑤ 박 영감은 부자가 되어서도 아껴 쓰는 버릇이 있었다.

3 세부 내용
박 영감이 이웃집 영감에게 망치를 빌려주지 <u>않은</u> 까닭을 고르세요.

㉮ 이웃집 영감이 미워서
㉯ 망치를 쓸 일이 있어서
㉰ 망치가 닳을까 봐 아까워서

4 인물
망치를 빌리지 못한 이웃집 영감의 마음으로 알맞은 것은 무엇인가요?

① 기쁜 마음　　② 무서운 마음
③ 고마운 마음　　④ 미안한 마음
⑤ 속상한 마음

보기 에서 ㉠에 알맞은 낱말에 ○표를 하세요.

추론

| 보기 | 거지 | 구두장이 | 부자 | 가난뱅이 | 사냥꾼 |

6

추론

㉡에 들어갈 말로 알맞은 것은 무엇인가요?

① 못을 박으려고 그러지.

② 그냥 가지려고 그러지.

③ 구경 좀 하려고 그러지.

④ 장에 내다 팔려고 그러지.

⑤ 망치를 고쳐 주려고 그러지.

7

어휘

㉢에 들어갈 낱말로 알맞은 것은 무엇인가요?

① 개　　　　　　　　② 명

③ 자루　　　　　　　④ 마리

⑤ 켤레

생각 글 쓰기

🖊 박 영감네 식구들이 입이 한 뼘은 튀어나온 채 밥을 먹은 까닭은 무엇일까요?

어휘 다지기

01 다음 낱말에 알맞은 뜻을 찾아 선으로 이으세요.

(1) 생시 •

(2) 시범 •

(3) 재산 •

• ㉠ 모범을 보임.

• ㉡ 재화와 자산을 통틀어 이르는 말.

• ㉢ 자거나 취하지 아니하고 깨어 있을 때.

02 아래 상황에 알맞은 낱말을 찾아 빈칸에 쓰세요.

구두쇠　　시범　　투정

(1)

선생님께서 태권도

□□□□을/를

보여 주셨다.

(2)

민수는

주사 맞기 싫다고

□□□□을/를

부렸다.

memo

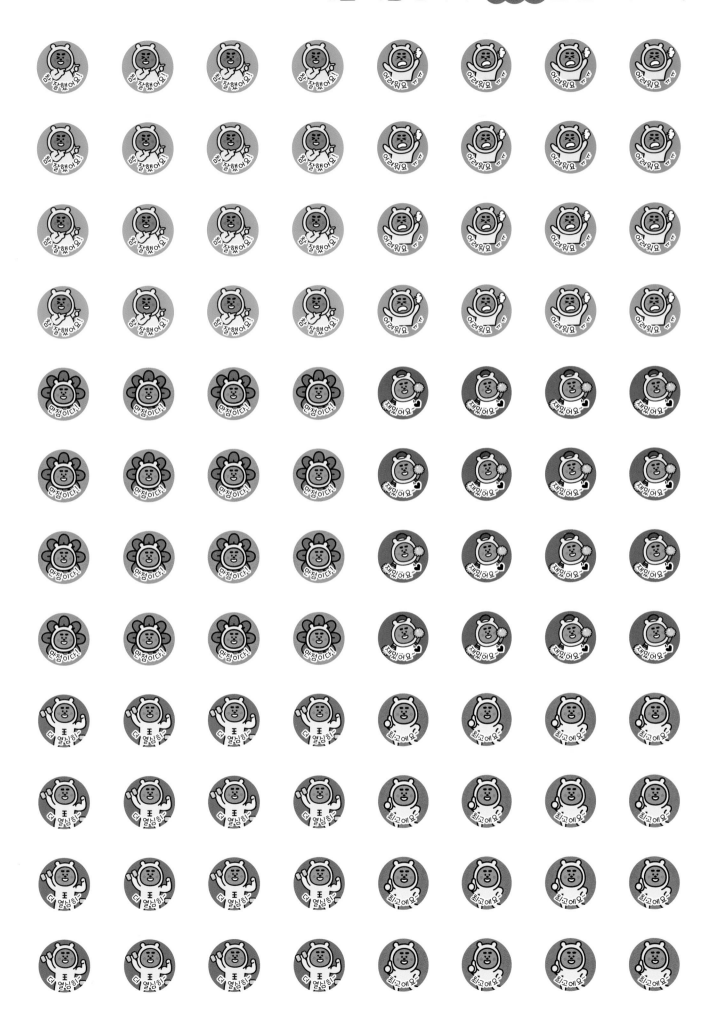

초등 국어

일등급 독해력

1

[정답과 해설]

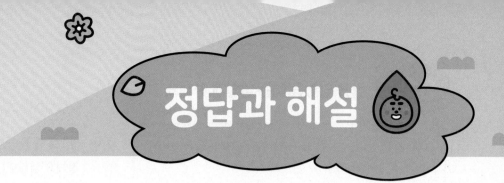

01회 그림일기를 써요

▶ 본문 10~13쪽

1 ③ 2 ③ 3 기억 4 일, 생각 5 요일 6 ③ 7 사진, 그림일기

어휘 다지기 01 (1)-㉠ (2)-㉢ (3)-㉡ 02 (1) 행복 (2) 기억

집 안 곳곳에 걸려 있는 사진을 보면 우리 가족과 행복하게 보냈던 시간이 기억나요. 사진이 기억을 담고 있는 _{3번의 근거} 것처럼 우리도 하루하루를 기억에 남길 수 있어요. 바로 ⟨그림일기⟩를 통해서 말이에요. ▶사진과 그림일기의 공통점

그림일기를 쓰면 좋은 점에는 여러 가지가 있어요. 먼저 중요한 일을 쉽게 기억할 수 있고, 일기를 펼쳐 보면 어떤 일을 했는지 되돌아볼 수 있어요. 그림일기는 우리 _{4번의 근거} 가 겪은 일뿐만 아니라 그때의 생각이나 느낌을 오래 간직하는 데에도 도움을 줘요. 이렇게 그림일기를 쓰면 우리에게 일어난 일에 대해 깊이 생각해 볼 시간도 생기고, 기억에도 오래 남아요. ▶그림일기를 쓰면 좋은 점

그림일기를 어떻게 써야 할까요? 그림일기에는 하루 _{6번의 근거} 동안 겪은 일 중 기억에 남는 중요한 일을 그려요. 그리고 기억에 남는 일을 써요. 날짜나 요일, 그리고 날씨를 _{5번의 근거} 기록해 두면 언제 무슨 일이 있었는지 떠올리는 데 도움이 돼요. 또한 나에게 있었던 일에 대한 생각이나 느낌도 쓰는 것이 좋아요. ▶그림일기를 쓰는 방법

이렇게 지도해 주세요! 이 글은 그림일기를 쓰면 좋은 점과 그림일기 쓰는 방법을 설명한 글입니다. 그림일기의 장점을 알고 즐겁게 일기를 쓸 수 있도록 지도해 주세요.
• **주제** 그림일기를 쓰면 좋은 점과 그림일기를 쓰는 방법

---

1 이 글은 그림일기를 쓰면 좋은 점과 그림일기를 쓰는 방법을 알려 주는 글입니다.

2 그림일기를 쓸 때의 좋은 점을 알려 주는 글입니다.

3 집 안에 걸려 있는 사진과 그림일기는 모두 '기억'을 남길 수 있게 도와줍니다.

4 그림일기를 쓰면 무슨 '일'이 일어났는지뿐만 아니라 그때의 '생각'이나 느낌도 오래 기억에 남길 수 있습니다.

5 그림일기에 들어갈 내용에는 날짜나 '요일', 날씨, 글과 그림이 있습니다. 왼쪽 그림에는 글과 그림만 있고, 날짜, 요일, 날씨가 없습니다.

6 일기는 누군가에게 보여 주기 위해 쓰는 글이 아니므로 그날 있었던 일에 대한 자신의 생각이나 느낌을 솔직하게 씁니다.

오답 풀이
① 그림일기에는 하루 동안 겪은 일 중 기억에 남는 중요한 일을 그린다고 하였습니다.
② 그림일기에 날짜나 요일, 날씨를 기록해 두면 언제 무슨 일이 있었는지 떠올리는 데 도움이 된다고 하였습니다.
④ 그림일기에는 나에게 있었던 일에 대한 생각이나 느낌을 쓰는 것도 좋다고 하였습니다.
⑤ 그림일기에는 그날 하루 동안 있었던 일을 모두 쓰는 것이 아니라 중요한 일을 쓴다고 하였습니다.

7 이 글은 먼저 집 안에 걸려 있는 '사진'과 그림일기를 비교하며 그림일기가 사진과 같이 기억을 남기게 해 준다고 하였습니다. 다음으로 '그림일기'를 쓰면 좋은 점을 알려 주었습니다. 마지막으로 그림일기를 쓰는 방법을 알려 주었습니다.

생각 글 쓰기

◆**예시 답안** 내가 겪은 일을 더 자세히 기억할 수 있게 해 주기 때문이다.

이렇게 지도해 주세요! 그림일기에 날짜나 요일, 날씨를 기록해 두면 언제 무슨 일이 있었는지 떠올리는 데 도움이 된다고 하였습니다. 글과 그림 이외의 내용도 우리가 겪은 일을 더 상세하게 기억하도록 돕기 때문에 중요하다고 설명해 주세요.

길을 잃었을 때는 이렇게 하세요

▶ 본문 14~17쪽

1 길 2 ㉯, ㉰, ㉮ 3 ⑤ 4 경찰관 5 ①, ⑤ 6 (1) × (2) × (3)
○ 7 길, 3, 생각, 도움
어휘 다지기 01 (1)-ⓒ (2)-㉠ (3)-ⓛ 02 (1) 위험 (2) 반복

가족과 함께 놀이공원에 갔다가 갑자기 엄마, 아빠가
보이지 않거나, 산책을 하다가 길을 잃을 때가 있어요.
이때 놀라서 엉엉 울거나 이리저리 길을 찾아 돌아다니
_{5번의 근거}
는 경우가 많아요. 그러나 이런 행동은 위험해요. 우리는
길을 잃었을 때 3단계 구호를 기억해야 해요. 그 구호는
바로 '멈추어요, 생각해요, 도움을 요청해요'예요.
▶ 길을 잃었을 때 필요한 3단계 구호
첫 번째로 길을 잃었을 때 가장 먼저 할 일은 제자리에
_{2번, 5번의 근거}
멈추는 일이에요. 우리가 움직이지 않아야 엄마, 아빠가
우리를 더 쉽게 찾을 수 있어요. 두 번째는 엄마, 아빠의
_{2번, 3번, 5번의 근거}
이름, 휴대 전화 번호, 집 주소를 생각해 내는 것이에요.
길을 잃으면 놀라서 바로 기억나지 않을 수 있기 때문에
차분하게 생각하는 시간을 가져야 해요. 마지막으로 할
_{2번의 근거}
일은 도움을 요청하는 것이에요. 휴대 전화가 없다면 공
중전화를 찾아 112번으로 전화를 걸어요. [㉠]이/
가 우리를 도와주러 오실 거예요. 만약 공중전화가 보이
지 않는다면 가까운 가게에 들어가 도움을 구해요.
▶ 3단계 구호의 내용
앞에서 말한 3단계 구호를 잘 기억한다면 길을 잃어도
다른 사람의 도움을 받을 수 있어요. 길을 잃으면 놀라
고 당황하여 잊어버리기 쉬우니, 평소에 여러 번 반복해
_{6번의 근거}
서 잊지 않도록 연습해요.
▶ 반복해서 연습하기

이렇게 지도해 주세요! 이 글은 길을 잃었을 때 해야 할 행동을 알
려 주는 글입니다. 길을 잃었을 때 놀라거나 울지 않고 침착하게
대처할 수 있도록 3단계 구호를 반복해서 알려 주세요.
• **주제** 길을 잃었을 때의 대처 방법

1 이 글은 '길'을 잃어버렸을 때 해야 할 행동을 알려 주는
글입니다.

2 3단계 구호의 순서는 '멈추어요, 생각해요, 도움을 요
청해요'입니다. 이에 해당하는 그림을 순서대로 고르면
㉯ → ㉰ → ㉮입니다.

3 자신이 가장 좋아하는 장난감이 무엇인지 생각해 내는
것은 길을 잃었을 때 부모님을 찾는 데 도움이 되지 않
기 때문에 알맞은 답이 아닙니다.

4 길을 잃었을 때 112번으로 전화를 걸면 '경찰관'이 오셔
서 도움을 줍니다.

5 길을 잃었을 때 놀라서 울고, 당황하여 길을 돌아다니
기 쉽지만 이러한 행동은 위험하다고 하였습니다.

오답 풀이
② 길을 잃었을 때 가장 먼저 할 일은 제자리에 멈추는 것이라고 하
였습니다.
③ 길을 잃었을 때 휴대 전화가 없다면 공중전화를 이용하여 112번
으로 전화를 걸어 경찰에 도움을 요청하라고 하였습니다.
④ 길을 잃었을 때는 엄마, 아빠의 이름, 휴대 전화 번호, 집 주소를
생각해 내야 합니다.

6 길을 잃으면 놀라고 당황하여 3단계 구호를 잊어버리기
쉬우니 평소에 반복해서 연습하라고 하였습니다.

7 이 글은 '길'을 잃었을 때 하면 안 되는 행동을 설명한
다음 길을 잃었을 때 기억해야 할 '3'단계 구호를 소개
하였습니다. 그 내용은 "멈추어요, '생각'해요, '도움'을
요청해요"로, 글쓴이는 이 구호를 반복해서 연습하라고
하였습니다.

생각 글 쓰기

✦**예시 답안** 움직이지 않아야 엄마, 아빠가 찾기 쉽
기 때문이다.

이렇게 지도해 주세요! 길을 잃었을 때는 당황하지 않고 제자리
에 침착하게 있는 것이 중요합니다. 길을 잃었을 때 계속 돌아
다니며 엄마, 아빠를 찾으면 길이 엇갈리게 되어 더 찾기 어려
워진다는 것을 알려 주세요.

1 교통 표지판 2 세모 3 ② 4 자전거 5 ⓒ 6 주의하세요, 안전 7 교통, 하세요

어휘다지기 01 (1)-ⓒ (2)-ⓛ (3)-㉠ 02 (1) 금지 (2) 주의

길을 걷다 보면 신호등이나 횡단보도뿐만 아니라 많은 (교통 표지판)을 볼 수 있어요. 교통 표지판은 (안전)하게 길을 걷고 자동차를 탈 수 있게 해 주어요. 우리는 안전을 위해 교통 표지판의 종류와 그 의미를 알고 교통 법규를 잘 지켜야 해요. ▶교통 표지판의 종류와 의미를 알고 교통 법규를 지켜야 함.

먼저 오른쪽과 같은 파란색 표지판은 '하세요' 표지판이에요. 표지판에 자전거가 그려져 있지요? 따라서 이 표지판은 [㉮]이/가 지나다닐 수 있다는 것을 의
3번의 근거
미해요. ▶'하세요' 표지판

다음으로 표지판 중에는 '하지 마세요' 표지판이 있어요. '하지 마세요' 표지판은 왼쪽의 그림처럼 해서는 안
5번의 근거
되는 일에 빨간 선으로 금지 표시가 되어 있어요. 왼쪽의 표지판은 표지판이 세워진 길에서 자전거를 타고 다닐 수 없다는 뜻이에요. ▶'하지 마세요' 표지판

마지막으로 표지판 중에는 '주의하세요' 표지판이 있어요. '주의하세요' 표지판은 오른쪽 그림처럼 세모 모양으
2번의 근거
로 생겼어요. 길을 가다가 이 표지판을 보면 근처에 위험한 곳이 있다는 뜻이니 조심해야 해요. ▶'주의하세요' 표지판

교통 법규는 우리 모두가 지켜야 할 약속이에요. 약속
6번의 근거
을 잘 지켜야 안전한 생활을 할 수 있어요. 앞으로 교통 표지판을 눈여겨보고 교통 법규를 잘 지키도록 해요. ▶교통 법규 잘 지키기

이렇게 지도해 주세요! 이 글은 교통 표지판의 종류와 의미를 알고 교통 법규를 지켜야 한다고 주장한 뒤 교통 표지판의 종류를 나누어 설명하고 있습니다. 각 표지판의 의미와 특징을 중심으로 이해할 수 있도록 설명해 주세요.
• **주제** 교통 표지판의 종류와 의미를 알고 교통 법규를 지키자.

---

1 이 글은 '교통 표지판'의 종류와 표지판들의 의미를 알고 교통 법규를 지켜야 한다고 주장하였습니다. 또, 표지판의 종류를 나누어 설명하였습니다.

2 표지판 그림을 통해 '주의하세요' 표지판은 '세모' 모양이고 노란색으로 칠해져 있다는 것을 확인할 수 있습니다.

3 ㉠은 '하세요' 표지판으로, 자전거가 지나다닐 수 있다는 뜻입니다. ⓒ은 '주의하세요' 표지판이 아니라 '하지 마세요' 표지판입니다. 이 표지판은 자전거를 탈 수 없는 길에 세워집니다.

4 표지판에 있는 그림을 보고 표지판의 의미를 추론하는 문제입니다. 표지판에 자전거가 그려져 있으므로 '자전거'가 지나다닐 수 있다는 것을 의미합니다.

5 이 표지판은 버스가 다니는 것을 금지하는 표지판입니다. 그림에 빨간 선으로 금지 표시가 되어 있으므로 '하지 마세요' 표지판인 것을 짐작할 수 있습니다.

6 이 글에 따르면 교통 표지판에는 '하세요', '하지 마세요', '주의하세요' 표지판 이렇게 세 가지가 있으며, 이 표지판에 담긴 교통 법규를 잘 지키면 우리는 '안전'한 생활을 할 수 있습니다.

7 이 글은 '교통' 표지판의 의미와 종류를 알고 교통 법규를 지키자는 주장과 교통 표지판에 대한 설명을 담은 글입니다. 교통 표지판에는 '하세요' 표지판, '하지 마세요' 표지판, '주의하세요' 표지판이 있는데 각 표지판의 의미를 알고 교통 법규를 지키면 안전한 생활을 할 수 있다고 하였습니다.

생각 글 쓰기

◆ **예시 답안** 안전하게 길을 걷거나 자동차를 탈 수 없다.

이렇게 지도해 주세요! 교통 법규를 지키지 않으면 안전하게 길을 걷거나 자동차를 탈 수 없을 것입니다. 교통 법규를 숙지하고, 안전하게 생활할 수 있도록 지도해 주세요.

1 태권도   2 ⑤   3 순수함   4 ④   5 (1)-ⓒ (2)-ⓛ (3)-㉠
6 ②, ⑤   7 뜻, 도복, 마음
어휘 다지기   01 (1)-ⓒ (2)-ⓛ (3)-㉠   02 (1) 무예 (2) 목표

우리는 주변에서 ⟨태권도⟩를 배우는 친구들을 많이 볼 수 있어요. 태권도는 손과 발을 사용하여 상대의 몸통과
2번의 근거
머리만을 공격하는 우리나라 전통 무예예요. 태권도는 올림픽 종목으로 지정되었고, 지금은 전 세계의 많은 사
2번의 근거
람들이 태권도를 배우고 있어요.   ▶태권도의 개념

'태권도'라는 ⟨말의 뜻⟩을 알아볼까요? 먼저 '태'는 밟는다는 뜻으로, 발로 여러 가지 기술을 보인다는 뜻을 가
2번, 5번의 근거
지고 있어요. '권'은 주먹이라는 뜻으로, 태권도가 손을
2번, 5번의 근거
사용한다는 것을 뜻해요. '도'는 길이나 도리라는 뜻이에
5번의 근거
요. 우리가 지켜야 할 예절을 뜻하지요.   ▶'태권도'라는 말의 뜻

태권도를 배우는 친구들이 흰 ⟨도복⟩을 입고 지나가는
2번의 근거
것을 본 적이 있을 거예요. 흰색 도복은 순수함을 나타
3번의 근거
내요. 도복 윗옷에는 띠를 매는데, 띠 색깔을 보면 태권도 실력이 얼마나 되는지, 목표가 무엇인지 쉽게 알 수 있어요. 태권도 도복을 갖추어 입는 것은 태권도를 집중해서 연습하게 도와줘요. 또한 도복뿐만 아니라 보호대
6번의 근거
를 바르게 착용해야 안전하게 태권도를 배울 수 있어요.
▶태권도를 할 때 입는 흰색 도복
태권도를 배울 때는 겸손한 마⟨음⟩을 지니는 것이 가장
4번의 근거
중요해요. 태권도를 하면 친구들과 겨루면서 몸이 건강해지고, 함께 겨루는 친구들을 존중하고 배려하는 마음을 배울 수 있어요.   ▶태권도를 배울 때 지녀야 할 마음

이렇게 지도해 주세요! 이 글은 태권도의 개념을 설명하고 태권도에 대한 다양한 정보를 전달하는 글입니다. 우리나라 고유의 무예인 태권도를 이해할 수 있도록 지도해 주세요.
• **주제** 우리나라의 전통 무예 태권도

1 이 글은 우리나라 전통 무예인 '태권도'를 알려 주는 글입니다.

2 이 글에서 태권도는 상대의 몸통과 머리만을 공격하는 전통 무예라고 설명하였습니다.

3 태권도의 흰색 도복은 '순수함'을 뜻한다고 하였습니다.

4 태권도를 배울 때 가장 중요한 것은 겸손한 마음을 지니는 것이라고 하였습니다. 따라서 잘난 척하는 마음은 태권도를 배울 때 지녀야 할 마음가짐이 아닙니다.

5 이 글에서는 '태'가 '발(밟음)'을, '권'이 '주먹'을, '도'가 '도리'를 뜻하는 말이라고 하였습니다.

6 태권도를 배울 때에는 '태권도 도복'을 입고 '보호대'를 바르게 착용해야 안전하게 태권도를 배울 수 있다고 하였습니다.

7 글쓴이는 태권도가 무엇인지 먼저 간단하게 소개하고 보다 자세히 '태권도'라는 말의 '뜻', 태권도를 할 때 입는 복장인 흰색 '도복', 태권도를 할 때 지녀야 할 '마음'을 차례대로 설명하였습니다.

생각 글 쓰기

◆ 예시 **답안** 몸이 건강해지고, 친구들을 존중하고 배려하는 마음을 배울 수 있다.

이렇게 지도해 주세요! 태권도를 하면 우선 몸이 건강해집니다. 그리고 겸손한 마음을 지니게 되고 함께 겨루는 친구들을 존중하고 배려하는 마음을 배울 수 있다고 하였습니다. 이 밖에도 태권도를 하면 좋은 점을 생각해 볼 수 있도록 지도해 주세요.

05회 숫자의 발명

▶ 본문 26~29쪽

---

1 숫자 2 정확 3 ③ 4 (1) 3 (2) 1 5 인도, 상인 6 ② 7 나뭇가지, 숫자, 아라비아

어휘 다지기 01 (1)-ⓒ (2)-ⓒ (3)-㉠ 02 (1) 금 (2) 표현

지민이는 '내 키는 매우 커.'라고 표현하였고, 진호는 '내 키는 130센티미터야.'라고 표현하였어요. 누가 더 기억하기 쉽고 정확하게 표현하였을까요? 진호가 ⟨숫자⟩를 사용해서 떠올리기 더 쉽고 정확하게 표현하였어요. 이처럼 숫자를 사용하면 자신의 생각을 보다 정확하게 표현할 수 있어요. _{2번의 근거} 숫자는 언제 처음 사용되었을까요?
▶숫자 사용의 좋은 점

옛날에는 나뭇가지나 조개껍데기 개수로 수를 나타내거나 동물의 뼈에 금을 내어 수를 표현했어요. 하지만 이런 방법으로는 _{3번의 근거} 아주 큰 수를 셀 수 없었고, 수를 나타낼 때 시간이 오래 걸렸어요. 그래서 사람들은 수를 나타낼 다른 방법을 찾았어요.
▶숫자를 사용하기 전의 모습

가장 유명한 숫자는 지금부터 약 2600년 전에 생겨났다고 해요. _{3번의 근거} 이 숫자는 ⟨인도⟩에서 발명되었어요. 인도의 _{3번의 근거} 숫자가 전해지기 전에는 로마 숫자가 많이 쓰였어요. 하지만 사람들은 인도에서 만들어진 숫자가 더 편하다고 생각했어요. 특히 아라비아 상인들이 유럽 사람들과 물 _{3번의 근거} 건을 사고팔 때 인도에서 만들어진 숫자를 많이 사용했어요. 그래서 이 숫자가 전 세계적으로 [㉠] 사용될 수 있었어요.
▶인도에서 만들어진 숫자

우리가 알고 있는 숫자는 바로 인도인이 만들고 아라 _{5번의 근거} 비아 상인들이 널리 퍼뜨린 것이에요. 그래서 0, 1, 2, 3, 4 등의 숫자를 인도-아라비아 숫자라고 불러요.
▶인도 – 아리비아 숫자

이렇게 지도해 주세요! 이 글은 우리가 사용하는 숫자가 어떻게 만들어져서 전파되었는지 설명하는 글입니다. 옛날 사람들이 숫자가 없을 때 어떤 방법으로 수를 표현했는지 알아보고, 지금의 숫자가 어떻게 생겨났는지 알 수 있도록 지도해 주세요.
• **주제** 인도-아라비아 숫자의 발명과 전파

---

1 이 글은 우리가 지금 사용하는 인도-아라비아 '숫자'가 어떻게 발명되어 전파되었는지 설명한 글입니다.

2 '크다', '작다', '길다', '짧다' 등의 표현을 사용하면 사람마다 다른 정도를 떠올리지만 숫자를 사용하면 '정확'하게 표현할 수 있습니다.

3 우리가 사용하는 숫자는 '인도-아라비아 숫자'라고 부른다고 하였습니다.

오답 풀이
① 우리가 쓰는 숫자는 약 2600년 전에 생겼습니다.
② 가장 유명한 숫자는 인도에서 발명되었습니다.
④ 가장 유명한 숫자는 아라비아 상인들이 널리 퍼뜨렸습니다.
⑤ 나뭇가지로 수를 나타내면 아주 큰 수를 세기 어렵고 시간이 오래 걸립니다. 간단하게 숫자로 표현하는 것이 더 편리합니다.

4 (1) 조개껍데기가 세 개 놓여 있습니다. '셋'은 인도-아라비아 숫자로 '3'입니다.
(2) 나뭇가지가 한 개 놓여 있습니다. '하나'는 인도-아라비아 숫자로 '1'입니다.

5 우리가 지금 쓰는 숫자는 '인도'라는 나라에서 처음 발명되었고, 이후 아라비아 '상인'들이 전 세계에 퍼뜨렸다고 하였습니다.

6 '널리'는 '범위가 넓게.'라는 뜻입니다. 아라비아 상인들이 유럽 사람들과 물건을 사고팔면서 인도 숫자를 사용하였기 때문에 이 숫자가 전 세계적으로 사용되었다고 하였습니다. 따라서 ㉠에 들어갈 알맞은 말은 '널리'입니다.

7 옛날 사람들은 '나뭇가지'나 조개껍데기를 사용하여 수를 표현하였습니다. 약 2600년 전에 인도에서 '숫자'가 발명되었고, 그 뒤 '아라비아' 상인들이 이 숫자를 널리 퍼뜨렸습니다.

생각 글 쓰기

✦**예시 답안** 아주 큰 수를 셀 수 없고, 수를 나타낼 때 시간이 오래 걸려서 불편하다.

이렇게 지도해 주세요! 숫자를 사용하지 않고 수를 나타내려면 하나하나 실제로 세어 가며 계산해야 하기 때문에 매우 불편할 것입니다. 우리가 사용하는 숫자 체계가 우수하고 편리한 방법이라는 것을 알 수 있도록 설명해 주세요.

1 휴대 전화 2 ③ 3 통신 4 스마트폰 5 ③ 6 크기, 기능
7 선, 벽돌

어휘 다지기 01 (1)-㉠ (2)-㉢ (3)-㉡ 02 (1) 기능 (2) 통신

사람들이 날마다 사용하는 <u>휴대 전화</u>는 아주 오래된 물건은 아니에요. 30년 전만 해도 사람들은 선 없는 전화기로 전화한다는 것을 상상할 수 없었어요. 하지만 <u>통신 기술이 빠르게 발달해서 이제는 선 없는 전화기, 즉</u>
_{3번의 근거}
<u>휴대 전화가 널리 사용되고 있어요.</u>
▶요즘에 만들어져 사용되는 휴대 전화
처음 만들어진 휴대 전화는 지금의 휴대 전화처럼 여러 가지 기능을 가지고 있지 않았어요. 엄청나게 큰 벽돌 모양의 전화기에 전화 기능만을 가지고 있었어요. 그때에는 이것도 엄청난 기술이어서 사람들은 신기해했어요.
▶맨 처음 나온 벽돌 모양의 휴대 전화
<u>시간이 지나면서 휴대 전화는 점점 작아지고 더 많은</u>
_{6번의 근거}
<u>기능이 생겼어요.</u> 휴대 전화에 달린 글자판으로 문자 메시지를 주고받을 수 있게 되었고, 카메라가 달려서 사진도 찍을 수 있게 되었어요. 또, <u>멀리 떨어진 사람과 얼굴</u>
_{5번의 근거}
<u>을 보면서 전화를 할 수도 있게 되었어요.</u>
▶작고 기능이 다양해진 휴대 전화
하지만 가장 큰 변화는 휴대 전화로 컴퓨터를 쓰는 것처럼 자유롭게 <u>인터넷</u>을 사용할 수 있게 된 것이지요. 인터넷 덕분에 우리는 컴퓨터를 쓸 때와 똑같이 휴대 전화로 여러 가지를 검색하고, <u>동영상을 보고, 음악을 듣</u>
_{5번의 근거}
<u>고, 친구에게 사진을 보낼 수 있게 되었어요.</u> 이렇게 컴
_{4번의 근거}
퓨터와 같은 기능을 가진 휴대 전화를 <u>스마트폰</u>이라고도 불러요.
▶인터넷을 쓸 수 있는 스마트폰

이렇게 지도해 주세요! 이 글은 휴대 전화의 발달 과정을 알려 주는 글입니다. 과거에 사용되던 휴대 전화의 모습이 낯선 아이들이 글에 흥미를 느끼고 휴대 전화가 어떤 모습으로 달라졌는지 이해할 수 있도록 지도해 주세요.

• **주제** 휴대 전화의 발달

1 이 글은 '휴대 전화'가 발달하는 과정을 설명한 글입니다. 벽돌 모양의 휴대 전화가 스마트폰으로 발달하기까지의 과정을 알 수 있습니다.

2 이 글은 휴대 전화가 어떤 과정을 거쳐 우리가 사용하는 휴대 전화(스마트폰)의 모습을 갖추게 되었는지 설명하기 위해 쓴 글입니다.

3 오늘날 우리가 스마트폰을 이용할 수 있게 된 것은 '통신' 기술이 발달했기 때문입니다.

4 우리가 지금 사용하는, 컴퓨터와 같은 기능을 가진 휴대 전화는 '스마트폰'으로도 불린다고 하였습니다.

5 아직까지 우리가 가진 기술로는 전화로 음식 냄새를 전달할 수 없습니다.

오답 풀이
① 스마트폰으로 동영상을 찾아볼 수 있습니다.
② 스마트폰의 메모 기능으로 준비물을 메모할 수 있습니다.
④ 친구들에게 사진을 한꺼번에 전달할 수 있습니다.
⑤ 스마트폰으로 영상 통화를 할 수 있습니다.

6 시간이 지나면서 휴대 전화의 '크기'는 작아졌고, 사용할 수 있는 '기능'은 많아졌습니다.

7 전화기는 '선'이 있는 전화기에서 시작하여, '벽돌' 모양의 휴대 전화, 작고 기능이 많아진 휴대 전화를 거쳐서 최근에는 스마트폰으로 발달하기에 이르렀습니다.

생각 글 쓰기

◆ **예시 답안** 너무 크고 무거워서 들고 다니기 불편했을 것이다.

이렇게 지도해 주세요! 과거에 가지고 다녔던 벽돌 모양의 휴대 전화는 무게가 무거워서 들고 다니기에 매우 불편했습니다. 오늘날 가벼워진 휴대 전화와 비교할 수 있도록 설명해 주세요.

 **물의 여러 가지 모습**

▶ 본문 34~37쪽

1 물 2 ⑤ 3 ④ 4 얼음 5 얼음, 물, 수증기 6 ② 7 액체, 얼음, 수증기

어휘 다지기 01 (1)-ⓒ (2)-ⓔ (3)-ⓐ 02 (1) 수증기 (2) 공중

우리가 날마다 마시는 <u>물의 여러 가지 모습</u>을 알고 있
<small>3번의 근거</small>
나요? 물을 시원하게 먹고 싶을 때에는 냉동실에 얼리기
도 하고, 따뜻하게 마시고 싶을 때에는 주전자에 담아 끓
이기도 해요. <u>이럴 때마다 물은 다양한 형태로 변하지요.</u>
<small>3번의 근거</small>   ▶여러 가지 형태로 변하는 물
먼저 우리가 날마다 마시는 '물'의 형태를 '<u>액체</u>'라고
불러요. 액체인 물은 담겨 있는 컵이나 용기에 따라 모
습이 바뀌기도 하고, 바닷가나 계곡에서는 졸졸 흐르기
도 해요. 바닷물도 액체 상태의 물인데, <u>지구의 많은 부</u>
<u>분이 액체 상태의 바닷물로 이루어져 있어요.</u> ▶액체 상태의 물
<small>3번의 근거</small>
다음으로, 물을 냉동실에 얼리면 차갑고 딱딱한 '<u>얼음</u>'
<small>3번, 4번의 근거</small>
이 돼요. 이런 형태를 '<u>고체</u>'라고 불러요. 얼음은 다른 컵
으로 옮겨 담아도 모양이 변하지 않아요. 하지만 <u>따뜻한</u>
<small>5번의 근거</small>
<u>곳에서는 다시 녹아서 물로 바뀌게 되지요.</u> ▶고체 상태의 얼음
마지막으로 물이 끓으면 '<u>수증기</u>'가 돼요. 부엌에서 주
전자에 물을 끓일 때 하얀 연기가 나는 것 같은 모습을
본 적 있나요? 이것은 물이 공기 중으로 날아가며 생기
는 모습이에요. <u>물은 아주 뜨거워지면 수증기가 되어 공</u>
<small>5번의 근거</small>
<u>중으로 흩어지는데,</u> 이러한 물의 형태를 '<u>기체</u>'라고 해요.
▶기체 상태의 수증기

이렇게 지도해 주세요! 이 글은 물의 여러 가지 모습을 설명한 글
입니다. 일상에서 경험한 일을 떠올리며 글의 내용을 다시 한 번
정리해 볼 수 있게 지도해 주세요.
• **주제** 온도에 따라 여러 가지 모습으로 변화하는 물

---

1 이 글은 '물'의 여러 가지 모습을 설명한 글입니다.

2 이 글은 각각 물의 액체, 고체, 기체 형태인 물, 얼음, 수증기와 이들의 특징을 설명하고 있습니다. 얼음이 녹지 않게 하는 방법은 설명하고 있지 않습니다.

3 지구의 많은 부분은 액체 상태의 바닷물로 이루어져 있다고 하였습니다.

오답 풀이
① 날마다 마시는 물은 흔하게 볼 수 있습니다.
② 물은 얼리면 얼음이 되고, 끓이면 수증기가 됩니다.
③ 물의 모습은 온도에 따라 물, 얼음, 수증기로 변합니다.
⑤ 바닷물은 흐를 수 있으므로 얼음 같은 고체가 아니라 액체입니다.

4 물이 얼면 차가운 '얼음'이 된다고 하였습니다.

5 물의 형태 변화가 온도 변화에 따른 것임을 추론하는 문제입니다. '얼음'은 따뜻한 곳에서는 다시 녹아서 '물'로 바뀐다고 하였고, 아주 뜨거워지면 '수증기'가 된다고 하였습니다. 따라서 빈칸에 들어갈 말은 '얼음-물-수증기' 순입니다.

6 '녹다'는 '얼음이나 얼음같이 매우 차가운 것이 열을 받아 액체가 되다.'라는 뜻의 낱말입니다. 아이스크림이 흐르는 액체 상태가 되었으므로, 빈칸에 어울리는 말은 '녹아서'입니다.

7 물은 물, 얼음, 수증기의 형태를 가지고 있습니다. 물은 '액체'라고 부르며, '얼음'은 고체라고 부릅니다. '수증기'는 기체라고 합니다.

생각 글 쓰기

◆**예시 답안** 물은 아주 뜨겁거나 차가울 때 모습이 변한다.

이렇게 지도해 주세요! 물을 냉동실에 얼리면 얼음이 되고, 끓이면 수증기가 된다고 하였습니다. 이와 같이 같은 물질이라도 온도에 따라 모습이 변할 수 있다는 사실을 알 수 있도록 지도해 주세요.

한글 짝! 한글 쿵!_박수진

▶ 본문 38~41쪽

1 한글 2 ③ 3 (1)-㉠ (2)-㉢ (3)-㉡ 4 ① 5 (1) 미음 (2) 지읒
(3) 히읗 6 ④

어휘다지기 01 (1)-㉢ (2)-㉠ (3)-㉡ 02 (1) 돌돌 (2) 착착

한글이랑 놀아요 한글 짝 한글 쿵

굽혀 굽혀 허리 굽혀 기역 짝 기역 쿵
기역(ㄱ)의 모양
착착 착착 다리 벌려 시옷 짝 시옷 쿵
시옷(ㅅ)의 모양
돌돌 돌돌 동그라미 ㉮ 짝 ㉮ 쿵
이응(ㅇ)의 모양   이응   이응
짝짝 쿵쿵쿵 재미있는 한글 한글 쿵 야!
▶기역, 시옷, 이응의 모양

이렇게 지도해 주세요! 이 동요는 한글의 모양을 재미있게 표현한
작품입니다. 아이들이 자음자를 어려워하지 않고 재미있게 익힐
수 있도록 지도해 주세요.
• **주제** 한글 자음자의 모양

---

1 이 노래는 '한글', 그중에서도 자음자의 모양을 글감으
로 하는 노래입니다.

2 **보기**는 자음자 '리을' 모양을 표현하고 있습니다. '구불
구불하다', '기어가다'를 통해 표현하는 자음자가 가장
많이 구부러진 'ㄹ' 모양임을 알 수 있습니다.

3 (1) '기역'은 허리가 굽은 모양이라고 하였으므로 ㉠이
'기역'의 모양으로 알맞습니다.
(2) '시옷'은 다리를 벌린 모양이라고 하였으므로 ㉢이
'시옷'의 모양으로 알맞습니다.
(3) '이응'은 동그라미 모양이라고 하였으므로 ㉡이 '이
응'의 모양으로 알맞습니다.

4 '동그라미'라는 낱말을 통해서 ㉮가 'ㅇ'임을 알 수 있습
니다. ①은 '자전거'로 '이응'이 들어간 낱말이 아닙니다.
오답 풀이
② 오리
③ 오징어
④ 오이
⑤ 아기(아이)

5 '기역', '디귿', '시옷'을 제외한 자음자의 이름은 '이으'
의 첫 글자 자리와 마지막 받침 자리에 똑같은 자음자

를 넣어 만듭니다. 예를 들어 'ㄴ'은 '이으'의 시작과 끝
에 'ㄴ'을 넣어 '니은'으로 읽습니다.
(1) 첫 글자 자리와 마지막 받침 자리에 'ㅁ'을 넣어 '미
음'으로 읽습니다.
(2) 첫 글자 자리와 마지막 받침 자리에 'ㅈ'을 넣어 '지
읒'으로 읽습니다.
(3) 첫 글자 자리와 마지막 받침 자리에 'ㅎ'을 넣어 '히
읗'으로 읽습니다.

6 두 노래를 비교하는 문제입니다. 두 노래 모두 한글을
알려 주는 노래라는 점에서 공통점이 있습니다. 하지
만 「한글 짝! 한글 쿵!」은 자음자의 모양을 알려 주고
보기는 '가, 나, 다' 순서대로 자음자가 들어간 낱말을
보여 주어 자음자의 순서를 알려 준다는 차이점이 있습
니다.

생각 글 쓰기

◆ **예시 답안** 사과, 사람, 소나기, 소리, 송이, 슬금슬
금, 실 등

이렇게 지도해 주세요! 우리가 사용하는 모든 말은 자음자와 모
음자를 합해서 만듭니다. 아이들이 자음자 'ㅅ'을 사용하여 자
유롭게 낱말을 만들고, 거꾸로 'ㅅ'이 들어간 낱말에 어떤 것이
있는지 알 수 있도록 지도해 주세요.

왜 띄어 써야 해? _박규빈

▶ 본문 42~45쪽

▶ 본문 42~45쪽

---

1 띄어쓰기   **2** ⑤   **3** 엄마가 방에 들어가신다.   **4** ②   **5** 죽
6 (1) 오늘 밤나무를 산다 (2) 오늘 밤 나무를 산다   **7** ⑤
어휘 다지기 **01** (1)-ⓒ (2)-㉠ (3)-ⓒ **02** (1) 가죽 (2) 표시

오늘도 선생님은 내 쓰기 공책에 빨간색 표시를 하고
_{2번의 근거}
소리를 질렀어요. 정말 띄어쓰기 따위는 모두 없어져 버
렸으면 좋겠어요! 띄어쓰기는 진짜진짜 어려워요! 꼭 글
_{2번의 근거}
자를 띄어 써야 하나요?　　　　　　▶띄어쓰기를 어려워하는 나

『틀렸어! 이것도 틀렸잖아! 몇 살인데 아직도 띄어쓰
「 」: 2번의 근거 – 띄어쓰기를 잘못해서 혼이 남.
기 하나 제대로 못 하니? 다시 써 봐!』

이번엔 엄마가 내 쓰기 공책을 보고 버럭 소리를 질렀
어요. 나는 씩씩거리며 한 글자씩 써 내려갔어요.
숨을 매우 가쁘고 거칠게 쉬는 소리를 잇따라 내며.
㉠'엄마 가방에 들어가신다.'
바른 띄어쓰기: 엄마가 방에 들어가신다.
눈을 부릅뜨고 지켜보던 엄마가 여행용 가방 속으로
'나'가 띄어쓰기를 잘못한 문장㉠ – 2번의 근거
들어가 버렸어요. 엄마가 뭐라고 소리치는데, 잘 안 들
려요.

"야, 틀렸잖아. 제대로 안 쓰면 읽는 사람이 곤란해진
4번의 근거 – 띄어쓰기를 해야 하는 까닭
다고. 빨리 다시 써 봐!"

소파에 앉아 있던 아빠가 말했어요.
　　　　　　　　　▶띄어쓰기를 잘못해서 엄마에게 일어난 일
〈중략〉

나는 다시 연필을 잡고 한 글자씩 써 나갔어요.

㉡'아빠 가죽을 드신다.'
바른 띄어쓰기: 아빠가 죽을 드신다.
아빠가 가죽 허리띠를 우적우적 씹어 먹었어요. 나는
'나'가 띄어쓰기를 잘못한 문장㉡의 뜻 – 2번의 근거
너무너무 웃겨서 바닥에서 데굴데굴 구르며, 배를 잡고
깔깔 웃었어요.　　　▶띄어쓰기를 잘못해서 아빠에게 일어난 일

이렇게 지도해 주세요! 이 글은 '나'가 띄어쓰기를 잘못해서 벌어진
일을 담은 작품입니다. 글을 읽고 띄어쓰기를 제대로 하지 않으
면 의사소통에 어려움을 겪는다는 사실을 자연스럽게 깨달을 수
있도록 지도해 주세요.
• **주제** 띄어쓰기의 중요성

---

1 이 글은 '띄어쓰기'를 잘못해서 벌어진 우스꽝스러운 일
을 통해 띄어쓰기가 중요하다는 사실을 전달하고 있습
니다.

2 이 글의 '나'는 띄어쓰기를 잘못해서 엄마, 아빠에게 혼
이 났습니다.

3 ㉠과 같이 띄어쓰기를 해서 엄마가 여행 가방 속으로
들어가 버렸습니다. 엄마가 가방 속에 들어가게 하지
않으려면 '엄마가 방에 들어가신다.'로 바르게 고쳐 써
야 합니다.

4 '나'의 아빠가 띄어쓰기를 하지 않으면 읽는 사람이 곤
란해진다고 하였습니다.

오답 풀이
① 띄어쓰기를 하지 않으면 글을 큰 소리로 읽게 되는 것은 아닙니다.
③ 뜻을 알 수 없고 보기도 어려워집니다.
④ 문장의 길이가 짧아지는 것처럼 보이지만 뜻을 알 수 없기 때문
에 빨리 읽기 어려워집니다.
⑤ 띄어쓰기를 하지 않으면 다른 나라 말이 되는 것은 아닙니다.

5 '아빠가 죽을 드신다.'가 바르게 띄어 쓴 문장입니다.
바르게 띄어 쓴 문장에서 아빠는 '죽'을 드시고 계셨음
을 알 수 있습니다.

6 띄어쓰기에 따라 한 문장이 여러 뜻으로 읽힐 수 있습
니다. **보기**의 문장은 '오늘 밤나무를 산다.'와 '오늘 밤
나무를 산다.'의 두 가지 방법으로 띄어 쓸 수 있습니다.

7 문장에 두 번째로 오는 낱말이 '밤나무를', '나무를'로
다르지만, '산다'라는 표현을 통해 두 문장 모두 무엇인
가를 산다는 내용임을 알 수 있습니다.

오답 풀이
① (1)에서 '오늘' 밤나무를 산다고 하였습니다.
② (1)은 '밤나무'를 산다는 내용이므로 나무의 종류를 알 수 있습니다.
③ (2)에서 '밤'은 먹는 '밤'이 아닌 해가 지고 난 뒤를 뜻합니다. 따라
서 (2)를 읽고 어떤 나무를 사는지 알 수 없습니다.
④ (2)에서 오늘 '밤'에 나무를 산다고 하였습니다.

생각 글 쓰기

◆ **예시 답안** 글을 읽는 사람이 뜻을 헷갈릴 것이다.

이렇게 지도해 주세요! 띄어쓰기를 하지 않으면 글을 쓰는 사람
과 글을 읽는 사람 모두가 불편하고, 의사소통을 할 때 어려움
을 겪는다는 점을 이해할 수 있도록 지도해 주세요.

1 ① 2 ① 3 두 4 ③ 5 쌍기역 6 오리 7 꽃, 나무

어휘 다지기 01 (1)-ⓒ (2)-ⓛ (3)-㉠ 02 (1) 꿀 (2) 벌

벌아 벌아 꿀 떠라

「연달래 꽃 줄까
진달래가 핀 후 연이어 핀다고 하여 붙은 이름
지게달래 꽃 줄까」   ▶1연: 벌에게 꽃을 주며 꿀을 뜨라고 함.
「」: 벌에게 꽃을 준다고 말하며 꿀을 많이 수확하기를 기원함.

벌아 벌아 꿀 떠라

연달래 꽃 줄까

지게달래 꽃 줄까   ▶2연: 1연의 내용을 반복함.
같은 내용의 가사 반복 → 노래의 흥을 돋우고 노랫말의 뜻을 강조함.

이렇게 지도해 주세요! 이 노래는 봄철에 진달래꽃과 철쭉꽃으로 꽃방망이를 만들어 돌리며 불렀던 전래 동요입니다. 노랫말이 묘사하는 모습을 머릿속으로 떠올려 보고, 자신의 경험을 바탕으로 봄 풍경을 상상할 수 있도록 지도해 주세요.
• **주제** 봄에 벌이 꽃의 꿀을 뜨는 모습

---

1 이 노래는 계절이나 절기에 맞추어 부르는 '세시요'입니다. 진달래꽃과 철쭉꽃은 봄에 활짝 핍니다. 따라서 이 노랫말은 '봄'과 가장 잘 어울립니다.

2 이 노랫말은 벌에게 꽃에서 꿀을 뜨라고 말하며 부르는 노랫말입니다. 벌은 산이나 들판에 많으므로 들판이 노래를 부르는 곳으로 가장 알맞습니다.

오답 풀이
② 바다에는 꽃이 없으므로 벌이 많지 않을 것입니다.
③ 호수에는 꽃이 없으므로 벌이 많지 않을 것입니다.
④ 과학실은 노래를 부르는 곳으로 알맞지 않습니다.
⑤ 미술관은 노래를 부르는 곳으로 알맞지 않습니다.

3 '반복'은 '같은 일을 되풀이함.'이라는 뜻의 낱말입니다. 이 노랫말은 똑같은 내용이 두 번 반복되었습니다. 노랫말을 반복하면 노래를 부르면서 흥이 나고 노랫말의 뜻이 강조됩니다.

4 이 노랫말을 읽으면 봄철에 벌이 꽃으로 날아와 꿀을 뜨는 모습이 상상되므로 생기 있고 즐거운 분위기를 느낄 수 있습니다.

5 '꿀'과 '꽃'에 공통적으로 쓰인 자음자는 'ㄲ'입니다. 'ㄲ'은 '쌍기역'이라고 읽습니다.

6 **보기**는 나무의 이름을 원래의 뜻과는 상관이 없고 소리만 같은 낱말을 사용하여 재미있게 표현한 노랫말입니다. 노랫말에서 빈칸에 들어갈 말은 '십 리'의 절반이라고 하였으므로 '오리'가 알맞습니다.

7 「벌아 벌아 꿀 떠라」는 벌에게 '꽃'의 꿀을 뜨라고 말하는 노랫말이고 「가자 가자 감나무」는 '감나무', '옻나무', '오리나무'처럼 여러 가지 '나무'의 이름을 재미있게 나타낸 노랫말입니다.

생각 글 쓰기

✦예시 **답안** 꽃의 꽃가루를 다른 꽃으로 옮겨 준다.

이렇게 지도해 주세요! 벌과 나비는 꽃의 꿀을 먹는 대신 자신들 또한 꽃에게 도움을 주고 있습니다. 이처럼 자연 속에서 사는 생명체들은 서로 돕고 지낸다는 점을 이해할 수 있도록 지도해 주세요.

11회 우리나라를 대표하는 옷, 한복

▶ 본문 52~55쪽

한복은 우리나라를 대표하는 옷이에요. 또한 우리나
라 고유의 옷이기도 해요. 오래전부터 우리나라 사람들
은 한복을 입어 왔어요. 우리는 주로 설날, 추석과 같은
명절에 한복을 입지만 옛날 사람들은 한복을 날마다 입
고 지냈어요. 그래서 몸에 꽉 끼지 않고 움직이기에 편
한 모양으로 옷을 만들었지요. ▶우리나라를 대표하는 옷인 한복

남자 한복과 여자 한복은 옷의 생김새가 조금 달라요.
남자는 윗도리로 저고리를, 아랫도리로 바지를 입었어
요. 여자는 윗도리로 저고리를 입고 아랫도리로는 치마
를 입었어요. 여자 한복의 저고리는 남자 한복의 저고리
에 비해 길이가 짧았어요. 하지만 옷고름의 길이는 남자
한복에 달린 것보다 더 길었어요. 남자 한복과 여자 한
복이 비슷한 점도 있어요. 일본과 중국을 대표하는 옷은
원피스처럼 위아래의 옷이 하나로 이어져 있지만, 우리
나라의 한복은 남자 한복과 여자 한복 모두 윗도리와 아
랫도리가 나뉜다는 특징이 있어요. ▶남자 한복과 여자 한복의 차이점

오늘날에는 한복을 입고 생활하는 사람들이 많지 않아
요. 하지만, 명절뿐만 아니라 평소에도 편하게 입을 수
있는 개량 한복이 개발되어 한복을 입는 사람들이 점점
많아지고 있어요. ▶오늘날에 새로 만들어진 개량 한복

이렇게 지도해 주세요! 이 글은 우리나라를 대표하는 옷인 한복을
소개하는 글입니다. 아이들이 한복을 알고 아끼는 마음을 가질
수 있도록 지도해 주세요.
• **주제** 우리나라를 대표하는 옷인 한복

1 이 글은 '한복'을 소개하는 글입니다.

2 한복은 우리나라를 대표하는 고유의 옷이라고 하였습
니다.

오답 풀이
① 한복은 몸에 꽉 끼지 않고 움직이기에 편한 모양으로 생겼다고

하였습니다.
③ 남자는 저고리와 바지를, 여자는 저고리와 치마를 입으며, 남녀
한복의 모양이 다르다고 하였습니다.
④ 오늘날에는 한복을 입고 생활하는 사람들이 많지 않고, 주로 설
날, 추석과 같은 명절에만 한복을 입는다고 하였습니다.
⑤ 한복은 윗도리인 저고리와 아랫도리인 치마, 바지로 나뉜다고 하
였습니다.

3 한복은 몸에 꽉 끼지 않고 움직이기에 편한 모양으로
생겼고 저고리와 치마, 바지로 나뉜다고 하였습니다.

오답 풀이
① 중국을 대표하는 옷인 치파오입니다.
② 일본을 대표하는 옷인 기모노입니다.
③ 미국 원주민이 입는 옷입니다.
⑤ 영국 근위병이 입는 옷입니다.

4 (1) 여자 한복의 저고리는 남자 한복의 저고리에 비해
길이가 '짧다'고 하였습니다.
(2) 여자 한복의 옷고름은 남자 한복의 옷고름에 비해
길이가 '길다'고 하였습니다.

5 오늘날에는 사람들이 명절뿐만 아니라 평소에도 편하
게 입을 수 있는 '개량' 한복이 개발되었다고 하였습니
다. 따라서 한복을 만드는 사람들이 개발한 한복은 '개
량' 한복입니다.

6 개량 한복은 우리나라를 대표하는 옷인 한복을 고쳐 만
든 것입니다.

7 이 글은 우리나라를 대표하는 옷인 '한복'을 소개하였습
니다. 그리고 여자 한복과 '남자' 한복의 차이점을 설명
하였고, 마지막으로 오늘날에 새로 만들어진 개량 한복
에 대하여 이야기하였습니다.

생각 글 쓰기

◆ **예시 답안** 평소에도 편하게 입을 수 있는 개량 한
복이 새로 만들어졌기 때문이다.

이렇게 지도해 주세요! 개량 한복이 개발되면서 한복을 입는 사
람들이 점점 많아지고 있다고 하였습니다. 개량 한복은 전통
한복의 아름다움은 그대로 가지고 있지만 오늘날의 생활에 맞
게 모양과 만드는 옷감 등이 달라졌다고 설명해 주세요.

12^회 나무가 주는 이로움

▶ 본문 56~59쪽

1 나무 2 ④ 3 뿌리 4 나무, 물건 5 ① 6 민지 7 이로움, 소중

어휘 다지기 01 (1)-ⓒ (2)-㉠ (3)-ⓒ 02 (1) 보금자리 (2) 이용

길거리나 공원 그리고 산에는 많은 <u>나무</u>가 있어요. 우리는 어디에서나 나무를 볼 수 있기 때문에 나무가 주는 이로움을 잊고 지낼 때가 많아요. 하지만 나무는 우리에게 많은 <u>이로움</u>을 주고 있어요.
▶우리 가까이에 있는 나무

㉮
나무는 동물과 식물의 <u>보금자리</u>가 되기도 하고,
2번의 근거
<u>먹이</u>가 되기도 해요. 새는 나무에 둥지를 만들고, 곤충들은 나뭇잎과 열매를 먹으면서 살아요. 나무는
2번의 근거
우리가 숨을 쉴 수 있도록 <u>깨끗한 공기</u>도 만들어 주어요. 나무가 숨을 쉬면 우리에게 필요한 맑은 공기가 만들어져요. 또한 나무의 뿌리는 땅속에 깊게 묻혀 있는데, 이 뿌리들은 비가 많이 올 때 물을 머금
3번의 근거
어 홍수가 나지 않도록 해 주어요.
▶나무가 나무일 때 주는 이로움

㉯
우리는 나무가 나무일 때도 많은 이로움을 얻지만, 나무를 베어서도 많은 이로움을 얻어요. 나무를 이용하면 많은 <u>물건</u>을 만들 수 있어요. 우리가 공부할 때 사용하는 책상이나 연필은 모두 나무를 자르고 깎아서 만든 물건이에요. 나무를 잘게 자르면 종
2번의 근거
이나 휴지를 만들 수도 있어요.
2번의 근거
▶나무로 물건을 만들면서 얻는 이로움

이렇게 나무가 주는 이로움을 더 오랫동안 누리고 싶다면 나무를 소중하게 다루어야 해요. 책상에 낙서하거나 상처를 내지 않고, 짧은 연필도 아껴서 사용하면 베
5번의 근거
이는 나무의 양을 줄일 수 있어요. 또한 쓰고 남은 색종
5번의 근거
이를 잘 보관하고, 휴지를 필요한 만큼만 사용하면 나무를 지켜 줄 수 있어요. 마지막으로 길가에 서 있는 나무
5번의 근거
를 발로 차거나 나무 밑에 쓰레기를 버리지 않는 것도 나무를 보호하는 일이에요.
▶나무를 소중하게 다루는 방법

이렇게 지도해 주세요! 이 글은 우리 주변에서 흔히 볼 수 있는 나무가 주는 이로움을 설명하는 글입니다. 나무의 역할을 알고, 자연을 소중하게 생각할 수 있도록 지도해 주세요.
• **주제** 나무가 주는 이로움

1 이 글은 '나무'가 주는 이로움을 설명하는 글입니다.

2 나무가 비를 내리지 않게 하는 것은 아닙니다.

오답 풀이
① 나무는 우리가 숨을 쉴 수 있도록 깨끗한 공기를 만들어 준다고 하였습니다.
② 나무를 잘게 잘라 종이나 휴지를 만들 수 있다고 하였습니다.
③ 우리가 공부할 때 사용하는 책상이나 연필은 모두 나무를 자르고 깎아서 만든 물건이라고 하였습니다.
⑤ 새는 나무에 둥지를 만들고, 곤충들은 나뭇잎과 열매를 먹으면서 산다고 하였습니다.

3 나무는 비가 많이 올 때 '뿌리'에 물을 머금어 홍수가 나지 않게 도와준다고 하였습니다.

4 ㉮는 '나무'가 나무일 때 주는 이로움을, ㉯는 나무를 베어서 '물건'을 만들 때 얻는 이로움을 설명하였습니다.

5 책상에 낙서를 하지 않는 것이 나무를 소중하게 다루는 방법입니다.

오답 풀이
② 길가에 서 있는 나무를 발로 차지 않아야 한다고 하였습니다.
③ 나무 밑에 쓰레기를 버리지 않는다면 나무가 더 오랫동안 우리에게 이로움을 줄 수 있다고 하였습니다.
④ 짧은 연필도 아껴서 사용하면 베이는 나무의 양을 줄일 수 있다고 하였습니다.
⑤ 쓰고 남은 색종이를 잘 보관하면 나무를 지켜 줄 수 있다고 하였습니다.

6 나무로 만든 물건을 마구 쓴다면 물건을 만들기 위해 베는 나무의 양이 많아질 것입니다. 따라서 나무로 만든 물건을 마구 쓰기 위해 나무를 소중하게 다루어야 한다는 민지의 말은 잘못된 것입니다.

7 이 글은 우리 가까이에 있는 나무가 주는 이로움을 나무가 나무일 때 주는 '이로움'과 나무로 물건을 만들면서 얻는 이로움으로 나누어 설명하였습니다. 또한 나무를 '소중'하게 다루는 방법을 설명하였습니다.

생각 글 쓰기

◆ **예시 답안** 동물과 식물의 보금자리가 없어지게 되고 공기가 나빠질 것이며 홍수가 날 것이다. 그리고 나무로 만든 물건을 쓰지 못하게 될 것이다.

이렇게 지도해 주세요! 나무는 동물과 식물에게 많은 도움을 줍니다. 나무를 소중하게 여기고 보살필 수 있도록 지도해 주세요.

1 ② 2 과학자 3 ② 4 ⓒ 5 흙 6 ㉣ 7 화석, 컴퓨터
어휘 다지기 01 (1)-㉠ (2)-㉢ (3)-㉡ 02 (1) 화석 (2) 정확

아주 오래전 지구에는 공룡이 살았어요. 하지만 이제 더 이상 공룡은 지구에 살지 않아요. 우리는 공룡을 실제로 보지 못했지만, 장난감이나 영화를 통해서 공룡의 모습을 보아 왔어요. 장난감과 영화 속 공룡의 모습은 _{2번의 근거} 과학자들이 지구에 남아 있는 공룡의 흔적만을 가지고 상상한 모습이에요. 과학자들이 어떻게 공룡의 모습을 상상하는지 알아볼까요? ▶상상으로 알게 된 공룡의 모습

먼저 공룡의 발자국이나 화석을 탐구하여 공룡의 모습 _{6번의 근거} 을 헤아려 봐요. 돌에 남아 있는 공룡 발자국이나 화석의 크기를 보고 공룡의 원래 크기를 상상할 수 있어요. _{3번의 근거} 또한 네 발로 걸었는지 두 발로 걸었는지도 알 수 있지 _{3번의 근거} 요. 날개가 있어 하늘을 날아 다녔는지, 뿔이 있었는지 _{3번의 근거} 도 이러한 흔적을 통해 알 수 있어요. ▶공룡의 발자국이나 화석 탐구

두 번째로 공룡 발자국이 찍힌 흙을 검사해요. 공룡 발 _{5번, 6번의 근거} 자국이 남아 있는 돌이나 화석을 검사하면 공룡이 어떤 풀을 먹고 살았는지, 공룡이 사는 곳의 모습은 어땠는지 알 수 있어요. 공룡이 살던 곳의 모습을 상상하는 것은 공룡을 더 잘 아는 데 도움을 주어요. ▶공룡 발자국이 찍힌 흙 검사

마지막으로 컴퓨터를 활용해서 상상해요. 우리에게 남아 있는 것은 공룡의 뼈 화석뿐이라 공룡이 날씬했는지 뚱뚱했는지 정확하게 알기 어려워요. 그래서 과학자들은 _{4번의 근거} 컴퓨터를 활용해서 공룡의 뼈 조각 위에 살을 입혀요. 컴퓨터로 살을 입히고 나면 우리가 알고 있는 티라노사우루스, 트리케라톱스 같은 공룡의 모습이 나타나지요. ▶컴퓨터를 활용하여 상상

이렇게 지도해 주세요! 이 글은 공룡의 모습을 탐구하는 방법을 설명한 글입니다. 아이들이 익숙하게 알고 있는 공룡의 모습이 어떠한 과정을 통해 만들어진 것인지 설명해 주세요.
• **주제** 공룡의 생김새를 탐구하는 방법

1 이 글은 '공룡'의 모습을 탐구하는 방법을 설명한 글입니다.

2 장난감과 영화 속 공룡의 모습은 '과학자'들이 지구에 남아 있는 공룡의 흔적을 가지고 상상한 모습입니다.

3 공룡의 나이를 정확하게 알 수 있다는 내용은 나타나 있지 않습니다.

오답 풀이
① 화석의 흔적을 통해 공룡에게 뿔이 있었는지 알 수 있다고 하였습니다.
③ 공룡 발자국이나 화석의 크기를 보고 공룡의 원래 크기를 상상할 수 있다고 하였습니다.
④ 공룡에게 날개가 있어 하늘을 날 수 있었는지 알 수 있다고 하였습니다.
⑤ 공룡이 네 발로 걸었는지 두 발로 걸었는지 알 수 있다고 하였습니다.

4 컴퓨터를 활용해서 뼈 조각 위에 살을 입히면 공룡이 뚱뚱했는지 날씬했는지 알 수 있습니다.

5 공룡 발자국이 찍힌 '흙'을 검사하면 공룡이 사는 곳의 모습이 어땠는지 알 수 있다고 하였습니다.

6 공룡 화석의 크기를 검사해서 알 수 있는 것은 공룡의 원래 크기이고, 공룡 발자국이 남아 있는 돌이나 화석의 흙을 검사하면 공룡이 어떤 풀을 먹고 살았는지 알 수 있다고 하였습니다.

7 이 글은 공룡을 탐구하는 방법으로 먼저 공룡 발자국과 '화석'을 탐구하는 방법을 설명하였고, 다음으로 공룡 발자국이 찍힌 흙을 검사하는 방법을 이야기하였습니다. 마지막으로 '컴퓨터'로 공룡을 상상하는 방법을 설명하였습니다.

생각 글 쓰기

◆ **예시 답안** 컴퓨터를 활용해서 공룡의 뼈 조각 위에 살을 입혀 만든다.

이렇게 지도해 주세요! 과학자들이 컴퓨터를 활용해서 공룡의 뼈 조각에 살을 입히고 나면, 우리가 알고 있는 티라노사우루스, 트리케라톱스 같은 공룡의 모습이 나타나게 된다고 하였습니다. 과학자들의 역할과 과학적인 탐구 방법이 무엇인지 알 수 있도록 지도해 주세요.

전기로 가는 자동차의 좋은 점

▶ 본문 64~67쪽

1 전기 자동차 2 ① 3 공기, 환경 4 ② 5 유희 6 ㉯ 7 공기, 충전

어휘 다지기 01 (1)-ⓒ (2)-ⓒ (3)-㉠ 02 (1) 횟수 (2) 연기

도로를 달리는 자동차의 뒷모습을 살펴보면 연기가 나오는 것을 볼 수 있어요. 이 연기는 공기를 나쁘게 만들어요. _{3번의 근거} 그래서 과학자들은 연기가 나오지 않는 새로운 자동차를 만들었지요. 바로 전기 자동차예요. 전기 자동차가 연기가 나오는 자동차에 비해 좋은 점을 알아볼 _{1번의 근거} 까요?
▶전기 자동차가 나온 까닭

전기 자동차는 연기가 나오지 않기 때문에 공기를 깨끗하게 해요. 봄과 가을에는 특히 하늘이 뿌연 날이 많은데, 자동차의 연기는 뿌연 먼지를 만들어 내는 물질 가운데 하나예요. 하지만 전기 자동차를 타면 연기가 나 _{4번, 5번의 근거} 오지 않기 때문에 뿌연 먼지가 적어지고, 우리는 깨끗한 하늘을 볼 수 있어요.
▶공기를 깨끗하게 해 주는 전기 자동차

전기 자동차는 다른 자동차들에 비해 조용해요. 자동 _{4번의 근거} 차가 움직이려면 차 안에 있는 많은 기계들이 움직여야 하고, 이 기계가 움직이면서 자동차가 덜덜 소리를 내어요. 우리가 차나 버스를 탔을 때 차가 덜덜 소리를 내는 까닭이 바로 이것이에요. 그런데 전기 자동차 속에는 기 _{4번의 근거} 계가 적게 들어 있어서 이런 움직임이 적어요. 그래서 우리는 더 편안하고 조용하게 자동차를 탈 수 있어요.
▶조용한 전기 자동차

전기 자동차는 한 번 ㉠충전해서 많은 거리를 움직일 수 있어요. 주유소에 가 본 기억이 있나요? 기름이 있어야 차가 움직이는데 기름을 거의 다 사용했기 때문에 주유소에 가지요. 이렇게 자동차에 기름을 넣는 것처럼 전 기 자동차도 충전이 필요해요. 하지만 다른 자동차들이 _{4번의 근거} 주유소에 가는 횟수보다 전기 자동차가 충전하러 가는 횟수가 더 적지요.
▶충전 횟수가 적은 전기 자동차

이처럼 전기 자동차에 좋은 점이 많기 때문에 점점 더 많은 사람들이 전기 자동차를 이용하고 있어요. 우리도 전기 자동차의 좋은 점을 알고 잘 이용하도록 해요.
▶전기 자동차를 이용해야 함.

---

1 이 글은 '전기 자동차'의 좋은 점을 설명하며 전기 자동차를 많이 이용하자고 주장한 글입니다.

2 '가을'은 특히 하늘이 뿌연 날이 많은 계절로, 이 글에서 중요한 낱말이 아닙니다.

3 이 글에서는 자동차의 연기가 '공기'를 나쁘게 만들기 때문에 새로운 자동차를 만들었다고 하였습니다. '공기' 대신 '환경'을 써도 자연스러운 문장이 됩니다.

4 전기 자동차도 충전이 필요하다고 하였습니다.

오답 풀이
① 전기 자동차는 연기가 나오지 않는다고 하였습니다.
③ 전기 자동차는 뿌연 먼지를 만드는 연기가 나오지 않는다고 하였습니다.
④ 자동차는 차 안에 기계가 많아 덜덜 소리를 내지만 전기 자동차는 자동차 안에 기계가 적게 들어 있다고 하였습니다.
⑤ 전기 자동차는 차 안에 기계가 적어 조용하다고 하였습니다.

5 기름을 넣는 자동차의 연기는 뿌연 먼지를 만들어 내는 물질이라고 하였습니다.

6 ㉠에서는 '충전'이 '전기 에너지를 모아서 쌓는 일.'이라는 뜻으로 쓰였습니다. ㉯의 '충전'은 '휴식을 하면서 활력을 되찾거나 실력을 기르는 일을 비유적으로 이르는 말.'이라는 뜻입니다.

7 이 글은 전기 자동차의 좋은 점으로 '공기'를 깨끗하게 해 준다는 점, 움직일 때 조용하다는 점, '충전' 횟수가 적다는 점을 들었습니다. 이를 바탕으로 전기 자동차를 많이 이용하자고 주장하였습니다.

생각 글 쓰기

◆ **예시 답안** 자전거는 전기나 기름 없이 움직이는 탈것이기 때문에 환경을 보호할 수 있다.

▶ 본문 68~71쪽

1 비교 2 ④, ⑤ 3 듣는, 전달 4 ④ 5 차이점 6 ㈐ 7 말,
키, 가볍다

어휘다지기 01 (1)-㉠ (2)-㉢ (3)-㉡ 02 (1) 차이점 (2) 무게

'승민이는 민재보다 더 커요.'와 같은 말을 하거나 들은 적이 있나요? 이러한 말은 비교하는 말이에요. '비교'는 둘 이상의 사물을 견주어 서로 간의 공통점이나 차이점을 살펴보는 것을 뜻해요. 비슷한 말로는 '대조'가 있어요.
2번의 근거
▶비교의 뜻

㉮ 비교해서 말하면 듣는 사람은 말을 쉽게 알아들을 수 있어요. 복잡하거나 어려운 내용도 비교해서 보면 무엇이 같고 무엇이 다른지 알기 쉬워져요. 또, 비교해서 말하면 말하는 사람은 말하려는 내용을 잘 전달할 수 있어요. 어려운 내용도 비교해서 말하면 쉽게 설명할 수 있어서 좋아요.
2번의 근거
2번의 근거
▶비교해서 말할 때의 좋은 점

비교할 때 쓰는 말에는 '더', '-보다', '가장' 등이 있어요. 친구들의 키를 비교할 때는 '더 크다'와 '더 작다'라는 말을 써요. 무게를 비교할 때는 '더 무겁다'와 '더 (㉠)'을/를 사용하지요. 우리가 자주 쓰는 연필의 길이를 비교할 때에는 '더 길다'와 '더 짧다'라는 말로 나타낼 수 있어요. 엄마와 나의 나이를 비교할 때는 '더 많다'와 '더 적다'를 사용해요.
▶비교할 때 쓰는 말

또한 '더', '-보다', '가장' 등을 사용하지 않고도 비교할 수 있어요. '미국인 친구는 햄버거를 먹었고, 나는 쌀밥을 먹었다.'와 같은 문장도 비교하는 문장이에요. 이 문장에 '더', '-보다', '가장' 같은 말은 들어가지 않았지만, 미국인 친구가 먹은 것과 '나'가 먹은 것의 (㉡)을/를 알 수 있지요.
2번의 근거
▶'더', '-보다', '가장' 사용하지 않고 비교하기

이렇게 지도해 주세요! 이 글은 초등학교 1학년 수학 시간에 처음 배우는 비교의 뜻을 설명하는 글입니다. 비교의 정확한 뜻과 비교할 때 쓰는 여러 가지 표현을 알 수 있도록 지도해 주세요.
• **주제** 비교의 뜻과 비교할 때 쓰는 말

---

1 이 글은 '비교'란 무엇인지, 그리고 비교할 때 쓰는 말에는 무엇이 있는지 설명하는 글입니다.

2 비교는 둘 이상의 사물을 견주어 서로 간의 공통점이나 차이점을 살펴보는 것이라고 하였습니다. 또한, '더', '-보다', '가장'을 사용하지 않고도 비교할 수 있다고 하였습니다.

오답 풀이
① 듣는 사람은 말을 쉽게 알아들을 수 있고, 말하는 사람은 내용을 잘 전달할 수 있다고 하였습니다.
② 비교와 비슷한 말로는 '대조'가 있다고 하였습니다.
③ 어려운 내용도 비교해서 보면 무엇이 같고 무엇이 다른지 알 수 있다고 하였습니다.

3 비교해서 말할 때의 좋은 점은 '듣는' 사람이 말을 쉽게 알아들을 수 있고, 말하는 사람은 내용을 잘 '전달'할 수 있다는 점입니다.

4 무게를 비교할 때에는 '더 무겁다'와 '더 가볍다'라는 말을 사용합니다.

5 넷째 문단의 예시 문장에서는 두 친구가 먹은 것의 '차이점'을 알 수 있습니다.

6 그림 속 물건들의 길이를 비교했을 때 가장 긴 물건은 자이고 가장 짧은 물건은 지우개입니다.

오답 풀이
㈎ 두 연필의 길이는 다릅니다.
㈏ 샤프펜슬은 연필들보다 깁니다.
㈐ 자, 연필, 지우개, 샤프펜슬 중에서 길이가 가장 긴 것은 자입니다.

7 이 글은 비교할 때의 좋은 점을 설명하며 비교해서 말하면 '말'하는 사람은 내용을 잘 전달할 수 있다고 하였습니다. 또한 비교할 때 쓰는 말을 소개하며 '키'를 비교할 때는 '더 크다'와 '더 작다'라는 말을, 무게를 비교할 때는 '더 무겁다'와 '더 가볍다'라는 말을 사용한다고 하였습니다.

생각 글 쓰기

✦ **예시 답안** '더 넓다'와 '더 좁다'가 있다.

이렇게 지도해 주세요! 비교하는 것이 무엇이냐에 따라 다양한 낱말이 사용됩니다. 이 글에 나온 것 이외에 비교할 때 또 어떤 표현을 사용하는지 생각해 볼 수 있도록 지도해 주세요.

▶ 본문 72~75쪽

1 ⑤ 2 ③ 3 ⑤ 4 만화 5 (1)-(나) (2)-(가) 6 ⓒ 7 화가, 컴
퓨터, 도구

어휘 다지기 01 (1)-ⓒ (2)-ⓔ (3)-ⓒ 02 (1) 도구 (2) 다양

그림 그리는 것을 직업으로 하는 사람을 ⟨화가⟩라고 불
2번의 근거
러요. 우리는 보통 화가라고 하면 연필, 물감, 붓 등으로
3번의 근거
그림을 그리는 사람을 떠올리지요. 여러분도 연필이나
물감으로 그린 그림을 미술관에서 본 적이 있을 거예요.
그런데 요즘에는 우리가 알고 있는 색칠 도구가 아닌 컴
2번의 근거
퓨터로 그림을 그리는 화가가 생겼어요. ▶우리가 알고 있는 화가

누리집에 들어가면 매주 새로운 만화를 볼 수 있어요.
이렇게 우리가 인터넷으로 보는 만화를 그리는 사람을
4번의 근거
'웹툰 작가'라고 불러요. 또한 우리가 즐겨 보는 만화 영
화도 컴퓨터로 만들어져요. 만화 영화를 만드는 사람은
'애니메이터'라고 불러요. 그리고 우리는 매일 텔레비전
에서 광고를 보지요? 이러한 광고에 필요한 그림을 컴퓨
터로 그리는 사람은 '광고 디자이너'라고 해요.
▶컴퓨터로 그림을 그리는 여러 가지 직업
컴퓨터로 그림을 그리는 화가들은 어떤 도구를 이용할
까요? 가장 쉽게 이용할 수 있는 도구는 ⟨마우스⟩예요. 컴
3번의 근거
퓨터에는 그림을 그리는 프로그램이 들어 있는데 이 프
로그램을 열면 마우스로 그림을 그릴 수 있어요. 보다
전문적인 도구로는 ⟨디지타이저⟩가 있지요. 이 도구는 널
2번의 근거
따란 도화지 같은 판과 연필 모양의 디지털 펜으로 이루
어져 있어요. 화가들은 마치 도화지에 붓으로 그림을 그
리듯이 판 위에 디지털 펜으로 그림을 그려요.
▶컴퓨터로 그림을 그릴 때 사용하는 도구
이처럼 그림을 그리는 도구는 이전보다 다양해지고 미
술과 관련된 직업도 많아졌어요. 미술은 미술관에서만
2번의 근거
찾을 수 있는 딱딱하고 어려운 것이 아니에요. 우리의
일상생활은 미술과 함께하고 있어요.
▶그림을 그리는 도구가 다양해짐.

이렇게 지도해 주세요! 이 글은 컴퓨터로 그림을 그리는 화가와 이
들이 이용하는 도구를 소개하였습니다. 시간이 지나면서 화가라
는 직업이 세분화되었고, 도구도 다양해졌다고 설명해 주세요.
• **주제** 컴퓨터로 그림을 그리는 화가와 여러 가지 도구

---

1 이 글은 컴퓨터를 이용하여 그림을 그리는 화가와 그들
이 사용하는 도구를 설명하였습니다.

2 색칠 도구가 아닌 컴퓨터로 그림을 그리는 화가가 생겼
다고 하였습니다.

오답 풀이
① 그림을 그리는 직업은 다양해지고 있습니다.
② 애니메이터는 미술 도구가 아닌 컴퓨터로 만화 영화를 만든다고
하였습니다.
④ 디지타이저는 널따란 판과 연필 모양의 디지털 펜으로 이루어져
있다고 하였습니다.
⑤ 그림 그리는 것을 직업으로 하는 사람을 화가라고 부른다고 하였
습니다. 컴퓨터로 그림을 그리는 직업을 가진 사람들도 화가라고 부
를 수 있습니다.

3 텔레비전에서 보는 광고에 필요한 그림을 컴퓨터로 그
릴 수 있다고 하였지만, 텔레비전은 그림을 그리는 데
이용하는 도구가 아닙니다.

4 컴퓨터로 '만화'를 그리는 직업을 가진 사람을 '웹툰 작
가'라고 합니다.

5 (1) 도화지는 그림을 그리는 곳이므로 모니터와 같은 일
을 합니다.
(2) 연필, 물감, 붓은 그림을 그리는 도구이므로 마우스
와 같은 일을 합니다.

6 이 글에서는 컴퓨터로 그림을 잘 그릴 수 있는 방법은
설명하지 않았습니다.

7 이 글은 첫째 문단에서 우리가 알고 있는 '화가'의 모습
을 보여 주었고, 둘째 문단에서 '컴퓨터'로 그림을 그리
는 화가들을 소개하였습니다. 셋째 문단에서는 컴퓨터
로 그림을 그릴 때 사용하는 '도구'를 알려 주었고, 넷째
문단에서는 그림을 그리는 도구가 다양해졌으며 우리
의 일상생활이 미술과 함께한다고 말하였습니다.

생각 글 쓰기

◆ **예시 답안** 그림을 고치고 싶을 때 쉽게 지울 수 있다.

이렇게 지도해 주세요! 컴퓨터로 그림을 그리면 좋은 점이 무엇
인지 자유롭게 상상할 수 있도록 지도해 주세요.

1 도움 2 ㉣ 3 (1) ○ (2) x (3) x 4 ④ 5 옆 6 이웃 7 장애인
어휘다지기 01 (1)-㉢ (2)-㉠ (3)-㉡ 02 (1) 실천 (2) 도움

지우개를 집에 두고 왔을 때 옆자리에 앉은 친구에게 빌렸던 경험이 있을 거예요. 이처럼 우리는 다른 사람에게 도움을 받기도 하고, 도움을 주기도 하면서 함께 살아가고 있어요. 이웃을 도울 수 있는 방법에는 또 무엇이 있는지 알아보고 실천해 보도록 해요. ▶이웃을 돕는 일

이웃을 돕는 일은 어려운 일이 아니에요. 생각해 보면 누구나 주변의 친구를 도와준 일이 있을 거예요. 준비물을 가져오지 않은 친구에게 준비물을 빌려준 일도 이웃에게 도움을 준 것이지요. (3번의 근거) 또한 한글을 아직 잘 모르는 친구가 물어보았을 때 친구를 놀리지 않고 잘 가르쳐 주는 것, 비가 오는 날 우산을 가져오지 않은 친구와 우산을 나누어 쓰는 것도 이웃을 도와주는 것이에요. ▶주변의 친구를 돕는 방법

우리는 주변의 친구뿐 아니라 몸이 불편한 장애인도 도울 수 있어요. 길에서 ㉠휠체어를 탄 사람을 만났을 때 길을 지나가도록 옆으로 비켜 주는 것도 도움을 주는 것이에요. (5번의 근거) 만약 앞이 보이지 않는 장애인이 우리에게 길을 물어본다면, 자세히 길을 알려 주어 도와줄 수도 있지요. ▶장애인을 돕는 방법

가장 중요한 것은 어디에서인가 들리는 '도와주세요.' (4번의 근거) 라는 말을 모르는 척하지 않는 거예요. 작은 일이라도 도움이 필요한 이웃을 도와준다면 함께 사는 따뜻한 세상을 만들 수 있어요. (6번의 근거) ▶따뜻한 세상 만들기

이렇게 지도해 주세요! 이 글은 우리 주변의 이웃을 도와야 한다고 주장하는 글입니다. 주변에 도움이 필요한 이웃이 있는지 살펴보고 도움을 주는 방법을 생각해 볼 수 있도록 지도해 주세요.
• **주제** 도움이 필요한 이웃을 도와주어야 한다.

---

1 이 글은 '도움'이 필요한 이웃을 도와주어야 한다고 주장하는 글입니다.

2 이 글에 다른 사람에게 도움을 받을 수 있는 방법은 나타나 있지 않습니다.

오답 풀이
㉮ 이 글은 글쓴이의 생각을 나타낸 '주장하는 글'입니다.
㉯ 이 글은 글을 읽는 사람이 누군가를 도와준 경험이 있는지 생각해 볼 수 있도록 하였습니다.
㉰ 이 글은 친구, 이웃 등 어려움에 처한 사람을 만났을 때 도와줄 수 있는 방법을 자세하게 썼습니다.

3 색종이를 가져오지 않은 친구에게 색종이를 함께 쓰자고 말하는 것은 친구를 돕는 것입니다. 하지만 색종이를 가져오지 않았다고 놀리거나, 준비물을 잘 가져와야 한다고 화를 내는 것은 친구를 돕는 것이라고 할 수 없습니다.

4 계단을 힘들게 올라가시는 할아버지의 짐을 들어 드린 일은 이웃을 올바르게 도운 것입니다.

오답 풀이
① 친구가 좋아하는 떡을 다 먹는 것은 친구를 돕는 것이 아닙니다.
② 길을 가다가 넘어진 사람을 보았을 때에는 일어날 수 있도록 도와주어야 합니다.
③ 버스에 앉아 있는데 할머니께서 오셨을 때에는 자리를 양보해야 합니다.
⑤ 친구가 꺼내지 못하는 책이 자신의 손이 닿는 곳에 있다면 대신 꺼내 주고, 손에 닿지 않는 곳에 있다면 어른께 도움을 청해야 합니다.

5 우리는 휠체어를 탄 사람이 길을 지나가도록 '옆'으로 길을 비켜 도와줄 수 있습니다.

6 이 글은 '이웃'을 도와주어 함께 사는 따뜻한 세상을 만들자고 주장하는 글입니다.

7 이 글은 도움이 필요한 이웃을 도와야 한다고 주장하고 있습니다. 글쓴이는 주변에 있는 친구를 도와야 한다고 말하였고, 몸이 불편한 '장애인'을 도와야 한다고 말하였습니다. 또한, 이렇게 도움이 필요한 이웃을 도우면 따뜻한 세상을 만들 수 있다고 하였습니다.

생각 글 쓰기

✦**예시 답안** 팔을 다친 친구의 가방을 대신 들어 주었다.

이렇게 지도해 주세요! 친구에게 도움을 준 경험을 생각해 보고, 도움을 주는 것이 어려운 일이 아니라는 것을 알 수 있도록 지도해 주세요. 또한 도움을 주고받으면 따뜻한 세상을 만들 수 있다고 설명해 주세요.

1 ③ 2 ④ 3 ② 4 땅바닥, 담벼락, 창문 5 ⑤ 6 ③ 7 윤서
어휘 다지기 01 (1)-ⓒ (2)-ⓐ (3)-ⓑ 02 (1) 이틀 (2) 골목

이틀째 앓아누워
2번, 7번의 근거
학교에 못 갔는데, 누가 벌써

학교 갔다 돌아왔는지

골목에서 공 튀는 소리 들린다.
2번의 근거
▶1연: 방 안에서 앓아누워 있다가 공 튀는 소리를 들음.

탕탕-
땅바닥을 두들기고
4번의 근거
탕탕탕-
담벼락을 두들기고
4번의 근거
⑦
탕탕탕탕-
□: 글자 수를 점점 많게 하여 소리가 커지는 것처럼 표현함.
꽉 닫힌 창문을 두들기며
4번의 근거
ⓐ골목 가득 울리는

소리
▶2연: 공 튀는 소리가 계속해서 들림.

「내 방 안까지 ⓑ들어와
1번의 근거
이리 튕기고 저리 튕겨 다닌다.」
「」: 소리가 마치 튕겨 다니는 공인 것처럼 표현함.
▶3연: 방 안에서 공 튀는 소리에 귀를 기울임.

까무룩 또 잠들려는 나를
2번의 근거
뒤흔들어 깨우고는, 내 몸속까지

튀어 들어와 탕탕탕-

ⓒ내 맥박을 두들긴다.
▶4연: 공놀이를 하고 싶음.
공놀이를 하고 싶어 가슴이 두근거리는 말하는 이

이렇게 지도해 주세요! 이 시는 몸이 아파서 학교에 가지 못한 말하는 이가 밖에서 들리는 공 튀는 소리를 듣고 공놀이를 하고 싶어 하는 마음을 나타낸 시입니다. 자신의 경험을 떠올리며 시를 읽고, 말하는 이의 감정을 짐작할 수 있도록 지도해 주세요.
• **주제** 아픈 날 공놀이하고 싶은 마음

---

1 말하는 이는 이틀째 앓아누워 학교에 못 가고 '방 안'에 있습니다.

2 '나'가 밖에 나갔다는 내용은 나타나 있지 않습니다. '나'는 몸이 아프므로 밖에 나가지 못했을 것입니다.

3 1연의 '골목에서 공 튀는 소리 들린다.'에서 알 수 있듯이 2연의 ⑦은 '공 튀는 소리'를 나타냅니다.

4 ⑦에서 공은 '땅바닥'을 두들기고, '담벼락'을 두들기고, 꽉 막힌 '창문'을 두들겼습니다.

5 3연의 ⓑ은 공 튀는 소리가 걸어 들어온다는 뜻이 아니라 공 튀는 소리가 방 안까지 들린다는 뜻입니다. 글쓴이는 눈에 보이거나 잡히지 않는 소리를 마치 공처럼 보이고 튕겨 다니듯이 표현하였습니다.

오답 풀이
① 공이 방문을 두들기는 것이 아니라 공 튀는 소리가 들리는 것입니다.
② 선생님께서 찾아오셨다는 내용은 나타나 있지 않습니다.
③ 공이 아니라 공 튀는 소리가 방 안까지 들어오는 것입니다.
④ 친구가 방 안으로 들어온다는 내용은 나타나 있지 않습니다.

6 4연의 ⓒ은 공놀이하고 싶은 생각에 가슴이 두근거리는 것을 나타낸 표현입니다.

오답 풀이
① 맥박을 두들기는 것이 '나'를 재워 주는 것은 아닙니다.
② 공이 '나'를 아프게 한 것은 아닙니다.
④ 공이 직접 '나'의 팔을 두들기는 것은 아닙니다.
⑤ '나'의 집 문을 누구인가 두들긴다는 내용은 나타나 있지 않습니다.

7 1연의 '이틀째 앓아누워 학교에 못 갔는데'를 통해 말하는 이가 학교에 못 간 것은 일주일이 아니라 '이틀'이라는 것을 알 수 있습니다.

생각 글 쓰기

◆**예시 답안** 시를 쓰는 사람은 마음을 나타낼 때 재미있고, 친구들마다 마음을 다르게 나타내서 시를 읽는 사람도 즐거울 것이다.

이렇게 지도해 주세요! 시로 마음을 나타내면 평소에 쓰는 말로 마음을 나타낼 때보다 재미있고 새로운 표현을 쓸 수 있습니다. 그리고 친구들마다 다른 표현을 쓰기 때문에 서로 즐겁게 시를 읽을 수 있습니다. 마음을 시로 나타낼 때의 좋은 점을 설명해 주세요.

▶ 본문 84~87쪽

1 꾸물이 2 ③ 3 ② 4 ② 5 ④ 6 ① 7 ②
어휘다지기 01 (1)-ⓒ (2)-ⓐ (3)-ⓒ 02 (1) 예전 (2) 안간힘

경주에 이긴 거북이 꾸물이는 스타가 됐어. 다들 꾸물
_{이야기의 주인공}
이를 보려고 구름 떼처럼 몰려들었지. 걸핏하면 ⓐ놀려

대던 이웃들도 이제 달라졌어.

　"저렇게 빠른 거북이가 있었다니!"
　_{토끼가 잠을 자서 이겼지만 꾸물이가 빨라서 이겼다고 생각하는 이웃들}

　"토끼도 한물갔군."

　"슈퍼 거북, 만세!"　　　　　▶슈퍼 거북이 된 꾸물이
　_{아주 빠른 거북}

〈중략〉

동물들이 수군대며 꾸물이를 흘끔거렸어. 꾸물이는 동

물들이 (ⓒ)할까 봐 걱정이 됐어. 그래서 단단히 마
　　　　_{실망}
음을 먹었지. 진짜 슈퍼 거북이 되기로 말이야. 먼저 도

서관으로 달려가 책을 뒤졌어. 빨라지는 방법이 나온 책
　　　　　　　　_{빨라지기 위해 한 일 ① – 5번의 근거}
을 모조리 찾아 읽었지. 그리고 곧장 책에 나온 대로 따
　　　　　　　　_{빨라지기 위해 한 일 ② – 5번의 근거}
라 하기 시작했어. 며칠이 지나자 아주 조금 빨라진 기

분이 들었어. 날이면 날마다 더 빨라지려고 안간힘을 쓰

자…… 점점 더 빨라졌어. 꾸물이는 해가 뜰 때부터 달
　　　　　　　　_{빨라지기 위해 한 일 ③ – 5번의 근거}
이 질 때까지 훈련을 했어. 비가 오나 눈이 오나 바람이
　　　　　　_{5번의 근거}
부나 하루도 빼먹지 않고 말이야. 어느덧 꾸물이는 진짜

슈퍼 거북이 됐어. 꾸물이가 지나가도 아무도 알아차리

지 못했지. 동물들은 혀를 내둘렀어.
　　　　　　　_{몹시 놀라고 당황하여 말을 잘하지 못했어.}
　"와, 역시 슈퍼 거북이야!"　　　▶빨라지려고 노력하는 꾸물이

그런데 사실…… 꾸물이는 너무 지쳤어. 딱 하루만이
_{이웃들이 실망할까 봐 노력해 슈퍼 거북이 됐지만 행복하지 않은 꾸물이}
라도 푹 쉬고 싶었지. 느긋하게 자고 느긋하게 먹고 싶

었어. 볕도 쬐고 책도 보고 꽃도 가꾸고 싶었지. 무엇보

다도 예전처럼 (ⓒ) 걷고 싶었어. 꾸물이는 아침마다
　　　　　　_{느리게}
거울에 비친 제 모습을 보고 깜짝깜짝 놀라곤 했어. 한

천 년은 늙어 버린 것 같았거든.　　▶빨라졌지만 푹 쉬고 싶은 꾸물이

이렇게 지도해 주세요! 이 글은 이솝 우화인 「토끼와 거북이」의 결
말 이후 일어난 일을 상상하여 쓴 이야기입니다. 이 이야기 다음에
는 또 어떤 내용이 이어질지 상상해 볼 수 있도록 지도해 주세요.
• **주제** 노력해서 빠른 거북이 되었지만 쉬고 싶은 꾸물이

1 이 글은 '꾸물이'가 슈퍼 거북이 되면서 겪은 일을 쓴 글
이므로, 주인공은 '꾸물이'입니다.

2 꾸물이는 너무 지쳤고 딱 하루만이라도 푹 쉬고 싶었으
며 무엇보다도 예전처럼 느리게 걷고 싶었다고 하였습
니다.

　오답 풀이
　① 꾸물이는 빨라지는 방법이 나온 책을 모조리 찾아 읽고, 해가 뜰
　때부터 달이 질 때까지 훈련을 해서 진짜 슈퍼 거북이 되었다고 하
　였으므로 예전에는 느렸다는 것을 알 수 있습니다.
　② 꾸물이는 슈퍼 거북이 되었습니다.
　④ 이 글의 앞부분에서 거북이 꾸물이가 경주에서 이겼다고 하였고
　이웃들이 '토끼도 한물갔군.'이라고 한 것으로 보아 꾸물이가 토끼와
　경주를 하여 이겼다는 것을 알 수 있습니다.
　⑤ 꾸물이는 빨라지려고 훈련을 하였습니다.

3 놀려 대던 이웃들이 달라진 까닭은 꾸물이가 빨라졌기
때문입니다.

4 동물들은 슈퍼 거북 꾸물이가 토끼보다 빠를 것이라고
기대하고 있습니다. 그래서 꾸물이는 동물들이 '실망'할
까 봐 걱정이 되었을 것입니다.

5 꾸물이는 도서관으로 달려가 빨라지는 방법이 나온 책
을 모조리 찾아 읽었다고 하였습니다. 하지만 빨라지는
방법이 나온 책을 모두 샀다는 내용은 나타나 있지 않
습니다.

6 슈퍼 거북인 꾸물이는 원래 느린 동물입니다. 따라서 예
전처럼 '느리게' 걷고 싶었을 것입니다.

7 이웃들이 경주에서 이긴 꾸물이를 '슈퍼 거북'이라고 부
른 것에서 '슈퍼 거북'이 '아주 빠른 거북'을 뜻하는 말
임을 알 수 있습니다.

생각 글 쓰기

◆**예시 답안** 꾸물이는 원래 느린 동물인데 매일 빠
르게 다니려고 열심히 노력해서 지쳤을 것이다.

이렇게 지도해 주세요! 등장인물인 꾸물이는 자신이 느리면 동물
들이 실망할까 봐 걱정하고 노력하다가 진짜 슈퍼 거북이가 되
었습니다. 하지만 거북이 꾸물이는 빠르게 사는 삶에 너무 지
쳤고 예전처럼 느리게 걷고 싶어 합니다. 꾸물이의 상황을 이
해하고, 비슷한 경험을 해 본 적이 있는지 생각해 볼 수 있도록
지도해 주세요.

▶ 본문 88~91쪽

1 곰　2 ②　3 ③　4 용우　5 ②　6 친구, 나무　7 (2) → (5) →
(4) → (3) → (1) → (6)

어휘 다지기 01 (1)-ⓒ (2)-ㄱ (3)-ⓒ　02 (1) 비명 (2) 바위

㉮ "정말 으스스하군."

등 뒤에서 바스락바스락 소리가 들리는 것 같아서, <u>두</u>
_{곰이 다가오는 소리}　　　　　　　　　　_{이야기의 주인공}
<u>친구</u>는 자꾸 뒤를 돌아봤답니다. 그때였어요. <u>한 친구가</u>
_{2번의 근거}
갑자기 얼굴이 새파랗게 질려서 비명을 질렀지요.

"으악! 고, <u>곰</u>이다! 무시무시한 곰이야!"

과연 <u>곰 한 마리가 커다란 바위처럼 버티고 서 있었답</u>
_{2번의 근거}
<u>니다.</u> 다른 친구도 곰을 보고 깜짝 놀랐어요.
　　　　　　　　　　　　　▶ 곰을 만난 두 친구

"도, 도망가야겠어! 곰에게 잡아먹힐 순 없지!"

<u>한 친구가 서둘러 가까운 나무 위로 기어 올라갔어요.</u>
_{위험할 때 친구를 도와주지 않음. – 2번의 근거}
옆의 친구는 까맣게 잊은 채 저 혼자 살겠다고 말이죠.
　　　　　　　　　　▶ 친구를 버리고 나무에 올라간 한 친구

㉯ 혼자 남은 친구는 어쩔 줄 몰라 했어요. 그래서 바닥
에 납작 엎드려 죽은 척을 했답니다.

'혼자만 살겠다고 도와주지 않다니……'

자신을 도와주지 않고 나무에 올라간 친구가 무척 원
망스러웠지요. 그때, <u>곰이 다가오더니 죽은 척하고 있는</u>
_{3번의 근거}
<u>친구의 몸에 코를 대고 킁킁거렸어요.</u>

'이대로 죽는 건가!'

그런데 ㉠<u>천만다행</u>이지 뭐예요. 곰이 귀에 대고 무어
_{목숨을 구한 다른 친구}
라 속삭이더니 그대로 가 버리는 게 아니겠어요. 나무
위에서 이 모습을 지켜본 친구는 도대체 곰이 무슨 말을
하는지 궁금했어요. <u>그래서 서둘러 나무에서 내려와 물</u>
_{위험이 없어진 다음에야 친구에게 옴.}
<u>었답니다.</u> / "이보게, 곰이 자네에게 뭐라고 하던가?"

바닥에 엎드려 있던 친구가 흙을 털고 일어났어요. 그
리고는 싸늘한 표정으로 대답했지요.
　　　　　_{혼자 나무에 올라간 친구에게 실망함.}

"　　　　　　　㉡　　　　　　　"
_{혼자만 살겠다고 도망간 사람을 친구로 두지 말라고 했네.}
　　　　　　　　　　　　▶ 곰이 떠나자 멀어진 두 친구

이렇게 지도해 주세요! 이 글은 곰을 만난 두 친구의 이야기를 바
탕으로 교훈을 전달하는 이솝 우화입니다. 우정을 지키려면 어떻
게 해야 할지 생각해 보도록 지도해 주세요.
• **주제** 곰을 만난 두 친구의 우정

---

1 이 글은 우연히 '곰'을 만난 두 친구에 대한 이야기입니다.

2 곰을 먼저 본 친구는 옆의 친구를 까맣게 잊은 채 저 혼
자 살겠다고 서둘러 가까운 나무 위로 기어 올라갔다고
하였습니다.

오답 풀이
① 곰 한 마리가 커다란 바위처럼 버티고 서 있었다고 하였습니다.
③ 두 친구는 길을 가다가 우연히 곰을 보고 깜짝 놀랐습니다.
④ 곰을 먼저 본 친구는 갑자기 얼굴이 새파랗게 질려서 비명을 질
렀다고 하였습니다.
⑤ 곰을 먼저 본 친구는 옆의 친구는 잊고 혼자 살겠다고 나무 위로
올라갔다고 하였습니다.

3 곰은 나무에 올라간 친구가 아니라 바닥에 엎드려 죽은
척하고 있는 친구의 몸에 코를 대고 킁킁거렸다고 하였
습니다.

4 ㉠은 '어떤 일이 뜻밖에 잘되어 몹시 좋다.'라는 뜻입
니다.

오답 풀이
가영: '만장일치'의 뜻풀이입니다.
소진: '오리무중'의 뜻풀이입니다.
철이: '십중팔구'의 뜻풀이입니다.

5 ㉡이라고 말하기 전에 친구의 표정이 싸늘했다고 한 것
으로 보아 매우 화가 났다는 것을 알 수 있습니다. 따라
서 답으로 알맞은 것은 ②번입니다.

6 두 사람은 '친구' 사이였습니다. 하지만 곰을 만났을 때
한 친구만 혼자 '나무'에 올라가면서 둘은 더 이상 친구
로 지내지 않게 되었을 것입니다.

7 두 친구는 산에서 곰을 만났습니다. 한 친구는 곰을 보
고 나무로 혼자 올라갔고, 다른 한 친구는 바닥에 납작
엎드렸습니다. 곰이 엎드린 친구에게 속삭였습니다. 곰
이 가 버리자 바닥에 엎드려 있던 친구가 싸늘한 표정
으로 나무에 올라갔던 친구에게 말하였습니다.

✎ **생각 글 쓰기**

◆ **예시 답안** 혼자만 생각하지 말고 친구도 소중하게
생각하고 행동해야 한다.

이렇게 지도해 주세요! 이 글은 친구와의 우정을 지키려면 어떻
게 해야 하는지 알려 주는 이야기입니다. 이야기를 통해 어려
운 일을 만났을 때 친구와 서로 협동해야 우정을 지킬 수 있다
는 교훈을 얻도록 지도해 주세요.

---

1 문화 2 ② 3 도진 4 젓가락 5 오른손 6 다회 7 풍습, 예절, 존중

어휘 다지기 01 (1)-ⓒ (2)-㉠ (3)-ⓛ 02 (1) 공휴일 (2) 풍습

세상에는 여러 나라의 사람들이 각각의 ⟨문화⟩ 속에서
〈2번의 근거〉
살고 있어요. 문화가 다르면 사는 모습도 달라요. 세계
적으로 가장 유명한 명절인 크리스마스의 ⟨풍습⟩도 나라마
〈2번의 근거〉
다 다르답니다. 필리핀 사람들은 크리스마스를 사 개월
〈2번, 3번의 근거〉
동안이나 기념해요. 필리핀에는 교회에 다니는 사람들이
많기 때문이에요. 중국에는 크리스마스가 아직 잘 알려
지지 않았어요. 12월 25일이 특별한 날이나 공휴일이 아
〈3번의 근거〉
니어서 학생들은 평상시처럼 학교에 가야 하지요.
▶나라마다 다른 풍습
　나라마다 밥을 먹을 때 지켜야 할 ⟨예절⟩도 모두 달라요.
서아시아에 위치한 이슬람 국가 중에는 오른손으로만 밥
을 먹는 나라가 있어요. 왼손은 화장실에서 사용하는 손
〈2번의 근거〉
이라 더럽다고 생각하기 때문이에요. 그리고 일본에서는
밥그릇을 들고 식사를 해요. 왼손으로는 밥그릇을 들고
(㉠)(으)로는 젓가락질을 해요. 우리가 쓰는 숟가락은
〈2번의 근거〉
사용하지 않는답니다.
▶나라마다 다른 식사 예절
　지금까지 나라마다 다른 풍습과 예절을 살펴보았어
요. 우리와 다른 문화를 가진 사람들의 행동은 우리나라
사람들의 행동과 다르지만 잘못된 것이 아니에요. 우리
는 다른 나라의 문화를 ⟨존중⟩해야 해요. 다른 나라에 놀
러 갔을 때 우리나라 사람들과 습관이 다른 사람을 보고
〈6번의 근거〉
눈살을 찌푸리면 안 돼요. 열린 마음으로 사람들을 대하
고, 질서와 예절을 지켜야 한답니다.
▶다른 나라의 문화를 존중해야 함.

이렇게 지도해 주세요! 이 글은 나라마다 서로 다양한 풍습이나 예
절이 있음을 알려 주고, 다른 나라의 문화를 존중해야 한다고 주
장한 글입니다. 여러 나라의 다양한 문화에 관심을 가지며 각 나
라의 문화를 소중히 여길 수 있도록 지도해 주세요.
• **주제** 다른 나라의 문화를 존중하자.

---

1 이 글은 여러 나라의 다양한 풍습과 예절을 소개한 뒤
이를 바탕으로 다른 나라의 '문화'를 존중해야 한다고
주장한 글입니다.

2 크리스마스 날 학교에 가야 하는 학생들은 중국 학생들
입니다.

오답 풀이
① 크리스마스는 세계에서 가장 유명한 명절이라고 하였습니다.
③ 일본에서는 밥을 먹을 때 숟가락을 사용하지 않는다고 하였습니다.
④ 서아시아에 위치한 이슬람 국가 중에는 오른손으로만 밥을 먹는
나라가 있다고 하였습니다.
⑤ 세상에는 여러 나라의 사람들이 각각의 문화를 지닌 채 살고 있
다고 하였습니다.

3 중국은 12월 25일이 특별한 날이나 공휴일이 아니라고
하였습니다.

4 일본은 젓가락을 사용해 식사를 한다고 하였습니다. 우
리나라도 식사할 때 젓가락을 사용하므로 빈칸에 들어
갈 낱말은 '젓가락'입니다.

5 일본에서는 밥그릇을 들고 식사한다고 하였습니다. 왼
손에 밥그릇을 들고 있으므로 젓가락질을 하는 손은
'오른손'입니다.

6 이 글에서는 다른 나라의 문화를 존중해야 한다고 하였
습니다. 다른 나라의 전통 의상을 보고 놀리는 것은 다
른 나라의 문화를 존중하는 태도가 아닙니다.

7 이 글은 서로 다른 문화를 가진 사람들은 사는 모습이
서로 다르다고 설명하였습니다. 그 예로 필리핀과 중
국의 크리스마스 '풍습'이 서로 다른 것을 들었습니다.
또, 서아시아 국가와 일본의 식사 '예절'이 서로 다른 것
을 예로 들었습니다. 이 글은 이러한 다른 나라의 문화
를 '존중'하자고 주장하였습니다.

생각 글 쓰기

◆ **예시 답안** 왼손은 화장실에서 사용하는 손이라 더
럽다고 생각하기 때문이다.

이렇게 지도해 주세요! 이슬람 국가 사람들은 왼손이 화장실에
서 사용하는 손이라 더럽다고 생각하기 때문에 오른손으로만
밥을 먹는다고 하였습니다. 이처럼 나라마다 식사 예절이 다를
수 있다는 것을 설명해 주세요.

22회

▶ 본문 98~101쪽

1 레고 2 블록 3 ④ 4 목수 5 ⑤ 6 어른 7 회사, 장난감

어휘 다지기 01 (1)-ⓒ (2)-㉠ (3)-ⓛ 02 (1) 추억 (2) 변화

레고를 가지고 놀아 본 적이 있나요? 레고는 전 세계의 어린이들이 좋아하는 장난감이에요. 이렇게 인기 있는 장난감을 누가 처음으로 만들었을까요? 레고가 어떻게 만들어져서 어떻게 변화했는지 알아보아요. ▶레고의 인기

레고를 처음 만든 사람은 덴마크의 목수 크리스티안센이에요. 크리스티안센은 나무를 잘 다듬어서 블록 모양의 장난감을 만들었어요. 이 장난감이 인기를 얻자 크리스티안센은 나무 블록을 많이 만들어 팔 수 있도록 회사를 세우고 회사 이름을 '레고'라고 붙였어요. 그래서 레고 회사가 만드는 나무 블록 이름이 레고가 되었답니다. 하지만 레고 회사에 플라스틱을 다루는 기계가 생긴 다음부터 레고를 만드는 재료가 나무에서 플라스틱으로 바뀌었어요. 지금 우리가 가지고 노는 플라스틱 레고는 이때 생긴 것이지요. ▶레고의 역사

레고는 전 세계 어린이들의 사랑을 받았어요. 그리고 레고를 사랑하던 어린이들은 자라서 어른이 되었지요. 많은 (㉠)들은 어렸을 때 레고를 가지고 놀았던 추억 때문에 여전히 레고를 사랑해요. 그래서 레고 회사는 어린이들은 물론 어른들도 좋아하는 레고 장난감을 많이 만들고 있어요. 레고로 만들어진 영화 캐릭터 상품을 내놓기도 하고, 레고를 이용해서 '레고 랜드'라는 놀이동산을 만들기도 했지요. 이렇게 레고로 만든 다양한 상품은 우리 모두를 즐겁게 해 준답니다. ▶어른들도 좋아하는 레고

이렇게 지도해 주세요! 이 글은 아이들이 즐겨 가지고 노는 레고의 역사와 변화를 다룬 글입니다. 레고를 가지고 놀았던 경험을 떠올리며 글을 읽을 수 있도록 지도해 주세요.
• **주제** 레고 장난감의 역사와 변화

---

1 이 글은 '레고'가 어떻게 만들어져서 어떻게 변화하였는지 설명한 글입니다.

2 레고는 '블록' 모양의 장난감입니다.

3 레고 회사는 어린이들은 물론 어른들도 좋아하는 레고 장난감을 많이 만들고 있다고 하였습니다.

오답 풀이
① 크리스티안센이 나무 블록을 만들어 파는 회사의 이름을 '레고'라고 지었다고 하였습니다.
② 크리스티안센은 맨 처음에 나무를 잘 다듬어 블록 모양의 장난감을 만들었다고 하였습니다.
③ 레고를 처음 만든 사람은 덴마크의 목수 크리스티안센이라고 하였습니다.
⑤ 레고 회사에 플라스틱을 다루는 기계가 생긴 다음부터 레고를 만드는 재료가 나무에서 플라스틱으로 바뀌었다고 하였습니다.

4 레고를 처음 만든 크리스티안센은 덴마크의 '목수'라고 하였습니다.

5 크리스티안센은 자신이 만든 장난감이 인기를 얻자 나무 블록을 많이 만들어 팔 수 있도록 회사를 세웠다고 하였습니다.

6 ㉠이 어렸을 때 레고를 가지고 놀았다는 설명에서 이들이 지금은 어린이가 아니라는 사실을 알 수 있습니다. ㉠은 어린이와 반대되는 뜻을 가진 낱말이므로 '어른'이 알맞습니다.

7 이 글은 레고가 어떻게 만들어져서 어떻게 변화하였는지 설명한 글입니다. 레고는 크리스티안센이 장난감 '회사'를 세우고 회사의 이름과 회사에서 만드는 장난감의 이름을 레고라고 붙이면서 만들어졌습니다. 이 레고를 어른들도 좋아하여, 지금은 레고 회사가 어른들도 좋아하는 레고 '장난감'을 만들고 있습니다.

생각 글 쓰기

◆ **예시 답안** 어렸을 때 레고를 가지고 놀았던 어른들이 여전히 레고를 사랑하기 때문이다.

이렇게 지도해 주세요! 많은 어른들이 어렸을 때 레고를 가지고 놀았던 추억 때문에 여전히 레고를 사랑한다고 하였습니다. 레고 회사는 이러한 어른들을 고려해 장난감을 만들고 있다고 설명해 주세요.

23회 옛날 사람들이 생각한 지구의 모양

▶ 본문 102~105쪽

1 지구 2 ⑤ 3 ③ 4 땅, 하늘 5 마젤란 6 ⑤ 7 지구, 상상(생각)

어휘다지기 01 (1)-㉠ (2)-㉢ (3)-㉡ 02 (1) 항해 (2) 탐험대

우리가 땅에 서 있으면 (지구)가 편평하게 느껴지지요.
_{2번의 근거}
하지만 사실 지구는 공처럼 (둥근) 모양을 하고 있답니다.
_{2번, 6번의 근거}
지구가 엄청나게 크기 때문에 우리 발밑이 둥글게 느껴
_{2번의 근거}
지지 않는 거예요. 과학 기술이 발달한 오늘날에는 이렇
게 둥근 지구의 모습을 직접 볼 수 있지요. 하지만 과학
_{2번의 근거}
기술이 발전하기 전에는 많은 사람들이 지구가 어떤 모
_{3번의 근거}
양인지 궁금해했어요.   ▶지구의 모습에 대한 궁금증

고대 그리스 사람들은 그리스 신화에 나오는 아틀라스
_{3번의 근거}
신이 지구를 들고 있다고 생각했어요. 동양에 있는 많은
사람들은 땅은 네모나고 하늘은 둥글다고 생각했지요.
_{4번의 근거}
또 어떤 사람들은 자신이 보는 땅이 편평하기 때문에 지
구가 납작한 모양이라고 여겼어요. 이처럼 과거의 사람
_{3번의 근거}
들은 거대한 지구가 어떤 모양으로 생겼는지 (상상)하고
알기 위해 노력했지만 좀처럼 알 수 없었어요.
            ▶과거 사람들이 생각한 지구의 모습
지구가 둥글다는 사실을 세상에 알린 사람은 마젤란
_{5번의 근거}
과 그의 부하들이었어요. 지금으로부터 약 500년 전, 마
젤란은 다른 사람들이 가 보지 않은 새로운 뱃길을 찾고
싶어 했어요. 그래서 부하들을 데리고 항해에 나섰지요.
_{3번의 근거}
마젤란 탐험대는 계속해서 서쪽으로 나아갔어요. 항해를
_{3번의 근거}
하던 가운데 마젤란은 죽고 말았지만, 부하들은 오랜 시
간 배를 타고 둥근 지구를 돌아 마침내 자신들이 살던 곳
으로 돌아올 수 있었어요. 이 일 덕분에 유럽 사람들은
지구가 둥글다는 사실을 알게 되었지요.
            ▶마젤란이 항해한 이후 지구의 모습에 대한 생각

이렇게 지도해 주세요! 이 글은 지구를 직접 보기 이전의 사람들이 지구를 어떻게 생각해 왔는지 설명한 글입니다. 옛날 사람들은 저마다 다르게 지구의 모습을 상상하였지만, 마젤란에 의해 지구가 둥글다는 사실이 증명되었다고 설명해 주세요.
• **주제** 지구의 모양에 대한 사람들의 생각 변화

---

1 이 글은 옛날 사람들이 지구를 어떤 모양으로 생각하였는지 설명한 글입니다.

2 과학 기술이 발달한 오늘날에는 둥근 지구의 모습을 직접 볼 수 있다고 하였습니다.

오답 풀이
① 지구는 엄청나게 크다고 하였습니다.
② 지구는 공처럼 둥근 모양이라고 하였습니다.
③ 지구에는 우리를 비롯한 많은 사람과 동식물이 살고 있습니다.
④ 우리가 서 있는 땅은 편평하게 느껴진다고 하였습니다.

3 마젤란은 부하들을 데리고 항해에 나섰다고 하였습니다. 비행기를 타고 세계 일주를 한 것이 아닙니다.

4 동양 사람들은 '땅'은 네모난 모양이고, '하늘'은 둥근 모양이라고 생각했다고 하였습니다.

5 지구가 둥글다는 사실을 세상에 알린 사람은 '마젤란'과 그의 부하들이라고 하였습니다.

6 지구는 '공'처럼 둥근 모양을 하고 있다고 하였습니다.

7 이 글은 옛날 사람들이 지구를 어떻게 생각하였는지 설명한 글입니다. 오늘날은 둥근 '지구'의 모습을 직접 볼 수 있지만, 지구를 볼 수 없었던 과거의 사람들은 지구를 여러 가지 모습으로 '상상'하였습니다. 하지만 마젤란과 그의 부하들이 항해를 통해 세계 일주에 성공한 이후 유럽 사람들은 지구가 둥글다는 사실을 알게 되었습니다.

생각 글 쓰기

◆ **예시 답안** 다른 사람들이 가 보지 않은 새로운 뱃길을 찾고 싶었기 때문이다.

이렇게 지도해 주세요! 마젤란은 다른 사람들이 가 보지 않은 새로운 뱃길을 찾고 싶었기 때문에 부하들을 데리고 항해에 나섰다고 하였습니다. 마젤란의 세계 일주 덕분에 지구가 둥글다는 사실을 알게 된 것이라고 설명해 주세요.

정답과 해설 **23**

▶ 본문 106~109쪽

1 바퀴 2 바큇살 3 ④ 4 빠르게, 파인 5 ⑤ 6 ⑤ 7 나무, 바큇살, 탈것

어휘 다지기 01 (1)-ⓒ (2)-㉠ (3)-ⓛ **02** (1) 탈것 (2) 증거

바퀴는 자전거나 자동차에 달린 동그란 물건이에요. 바
_{3번의 근거}
퀴가 없었다면 우리는 먼 곳을 편하게 갈 수 없고, 물건
을 빨리 나를 수도 없었을 거예요. 이처럼 사람들을 편리
하게 해 주는 바퀴는 아주 오래전에 만들어진 물건이에
_{3번의 근거}
요. 지금으로부터 약 5500년 전에 메소포타미아 지역 사
람들이 나무 바퀴를 사용한 증거가 남아 있지요. ▶바퀴의 유래

옛날에는 바퀴를 만들 때 얇은 널빤지를 여러 장 붙인
_{3번의 근거}
다음 가장자리를 동그랗게 다듬었어요. 그래서 바퀴의
가운데가 막혀 있었지요. 하지만 현재 우리 주위에서 볼
수 있는 바퀴를 보면 가운데가 뚫려 있고 바퀴의 중심에
서 가는 선이 뻗어 나와 있지요? 이 가는 선을 바큇살이
_{2번의 근거}
라고 불러요. 바큇살을 써서 만든 바퀴는 가운데가 막힌
_{4번의 근거}
바퀴보다 더 빠르게 굴러가고, 움푹 파인 곳을 지나다닐
때 덜 흔들리지요. ▶바큇살이 달린 바퀴

바큇살이 생기고 바퀴가 더 좋아지면서 여러 가지 탈
_{3번의 근거}
것들이 만들어졌어요. 사람들은 원하는 곳에 빨리 갈 수
_{6번의 근거}
있게 되었고, 물건을 만들 재료들은 재료가 필요한 곳에
빨리 도착했어요. 바퀴 덕분에 사회가 아주 빠르게 발전
_{3번의 근거}
할 수 있었던 것이지요. 지금도 우리는 바퀴가 달린 탈것
을 자주 이용해요. 자전거와 자동차는 물론 버스와 택
시, 기차를 타고 다니지요. 이렇게 많은 곳에 쓰이는 바
퀴는 아주 고마운 물건입니다. ▶바퀴가 주는 도움

이렇게 지도해 주세요! 이 글은 바퀴의 발명과 이에 따른 우리 사
회의 발전을 다룬 글입니다. 바퀴가 우리 삶에 어떻게 도움을 주
고 있는지 알 수 있도록 설명해 주세요.
• **주제** 바퀴의 발명으로 편리해진 우리의 생활

1 이 글은 '바퀴'의 발명과 이로 인해 편리해진 우리의 생활에 대하여 쓴 글입니다.

2 바퀴의 중심에서 가는 선이 뻗어 나온 것을 볼 수 있는데, 이 가는 선을 '바큇살'이라고 하였습니다.

3 바퀴는 자전거나 자동차 등에 달린 동그란 물건이라고 하였습니다. 바퀴가 네모나면 길을 달릴 수 없습니다.

4 바큇살을 써서 만든 바퀴는 가운데가 막힌 바퀴보다 더 '빠르게' 굴러가고, 움푹 '파인' 곳을 지나다닐 때 덜 흔들린다고 하였습니다.

5 잠수함은 '물속을 다니면서 전투를 하는 전투 함정.'을 뜻하는 낱말입니다. 바퀴가 달린 물건이 아닙니다.

6 바큇살이 생기고 바퀴가 더 좋아지면서 여러 가지 탈것들이 만들어진 결과, 사람들은 원하는 곳에 빨리 갈 수 있게 되었고, 물건을 만들 재료들은 재료가 필요한 곳에 빨리 도착할 수 있게 되었다고 하였습니다.

오답 풀이
② 바퀴가 생기자마자 비행기와 기차가 만들어졌다는 내용은 나타나지 않았습니다. 비행기와 기차는 바퀴가 생기고 난 이후에도 여러 가지 기술이 발달한 뒤에 만들어졌습니다.

7 이 글은 바퀴의 발명과 이에 따른 우리 사회의 발전을 다룬 글입니다. 바퀴는 아주 오래전에 발명되었는데, 5500년 전 메소포타미아 사람들이 '나무' 바퀴를 쓴 흔적이 남아 있습니다. 이 바퀴가 '바큇살'이 달린 바퀴로 발전하면서 많은 탈것이 만들어졌습니다. 지금도 바퀴는 여러 가지 '탈것'에 쓰이는 고마운 물건입니다.

생각 글 쓰기
◆**예시 답안** 지금부터 5500년 전에 메소포타미아 지역 사람들이 나무 바퀴를 사용한 증거가 남아 있다.
이렇게 지도해 주세요! 우리는 메소포타미아 지역에 남아 있는 증거를 통해 5500년 전의 사람들이 바퀴를 사용한 것을 확인할 수 있습니다. 이 흔적이 세계에서 가장 오래된 바퀴의 흔적이라고 설명해 주세요.

1 통일 2 ② 3 ③ 4 ④ 5 이산가족 6 ④ 7 한민족, 이산가족, 땅

어휘다지기 01 (1)-ⓒ (2)-ⓒ (3)-ⓐ 02 (1) 의상 (2) 소식

우리 조상들은 아주 오랜 시간 동안 한반도에서 하나의 민족으로 살아왔어요. 하지만 지금은 한반도가 남한과 북한으로 나뉘어 있어요. <u>남과 북이 나뉜 채 육십 년이 넘</u> _{3번의 근거} <u>는 시간이 흘렀지만, 이제는 다시 통일이 되어야 해요.</u>
▶남북은 통일되어야 함.

통일이 되어야 하는 까닭은 첫째, <u>남한과 북한은 원래</u> _{3번의 근거} <u>한민족이었기 때문이에요.</u> 남한 사람과 북한 사람은 모 두 단군 할아버지를 조상으로 생각해요. <u>같은 한국어와</u> _{2번의 근거}   _{2번의 근거} <u>한글을 사용하고,</u> <u>이름도 비슷하게 지어요.</u> 또, <u>남한 사</u> _{3번의 근거} <u>람과 북한 사람은 모두 김치를 먹고,</u> <u>전통 의상으로 한</u> _{2번의 근거}   _{2번의 근거} <u>복을 입어요.</u> 이 밖에도 서로 공통점이 아주 많지요.
▶남한과 북한은 원래 한민족이었음.

둘째, 남한과 북한에는 이산가족이 많이 살고 있기 때 문이에요. <u>이산가족은 다른 곳에 살면서 만나지 못하고</u> _{5번의 근거} <u>서로 소식도 모르는 가족을 말해요.</u> 이산가족들은 사랑 하는 엄마, 아빠, 형제 등을 보지 못해 슬픔 속에 살고 있 어요. 통일이 되어야 이산가족들이 더 이상 슬프지 않을 거예요. 그리고 예전처럼 함께 도우며 즐겁게 살 수 있을 거예요.
▶이산가족이 많음.

셋째, 통일이 되면 남한과 북한이 땅을 함께 사용할 수 있기 때문이에요. 통일이 되면 우리는 자유롭게 백두 산이나 금강산에 놀러 가고, 북한 사람들도 제주도를 구 _{3번의 근거} 경하러 올 거예요. 또, 지금은 비행기를 타야 갈 수 있는 유럽에 기차를 타고 갈 수도 있어요. 이런 좋은 점을 누 _{3번의 근거} 리려면 남한과 북한이 하루빨리 통일되어야 해요.
▶통일이 되면 땅을 함께 사용할 수 있음.

이렇게 지도해 주세요! 이 글은 여러 가지 근거를 들어 통일이 되 어야 한다고 주장한 글입니다. 이 글을 읽은 아이들이 통일의 좋 은 점을 알고, 남과 북의 통일을 바라는 마음을 가질 수 있도록 지도해 주세요.

• **주제** 남과 북이 다시 통일되어야 하는 까닭

1 이 글은 남과 북이 '통일'되어야 한다는 글쓴이의 생각 과 그렇게 생각하는 까닭이 드러난 글입니다.

2 남한과 북한에는 이산가족이 많이 살고 있다고 하였습 니다.

3 통일이 되면 지금은 비행기를 타야 갈 수 있는 유럽에 기차를 타고 갈 수도 있다고 하였습니다.

4 글쓴이는 글의 처음과 마지막에서 남한과 북한이 통일 되어야 한다고 주장하였습니다.

5 '이산가족'은 다른 곳에 살면서 만나지 못하고 서로 소 식도 모르는 가족을 말한다고 하였습니다.

6 남한과 북한은 한민족이므로 모두 전통 의상으로 한복 을 입습니다. 따라서 통일이 되어도 북한 사람에게 한 복을 소개할 필요는 없습니다.

오답 풀이
① 통일이 되면 남한과 북한이 같은 땅을 사용하고 같은 한국어를 쓰므로 북한에 사는 친구를 사귈 수 있습니다.
② 통일이 되면 남한과 북한이 땅을 함께 사용하므로 평양에 놀러 갈 수 있습니다.
③ 통일이 되면 유럽에 기차를 타고 갈 수도 있습니다.
⑤ 통일이 되면 북한 사람도 남한에 자유롭게 올 것이므로 북한 사 람에게 서울 시내를 소개할 수 있습니다.

7 이 글은 남과 북이 다시 통일되어야 한다는 글쓴이의 생각과 그렇게 생각하는 까닭을 담은 글입니다. 글쓴 이는 통일이 되어야 하는 까닭으로 남한과 북한은 원래 '한민족'이었고, 남한과 북한에 '이산가족'이 많이 살고 있으며, 통일이 되면 남한과 북한이 '땅'을 함께 사용할 수 있다는 점을 들었습니다.

✎ **생각 글 쓰기**

◆ **예시 답안** 이산가족들은 사랑하는 엄마, 아빠, 형 제 등을 보지 못해 슬픔 속에 살고 있기 때문이다.

이렇게 지도해 주세요! 이산가족들은 사랑하는 가족을 보지 못해 슬픔 속에 살고 있다고 하였습니다. 이산가족들의 슬픔을 덜어 주기 위해서라도 통일이 되어야 한다고 설명해 주세요.

1 제주도 2 ⑤ 3 현무암 4 ③, ⑤ 5 세, 섬 6 표준어 7 화산, 별명, 사투리

어휘다지기 01 (1)-㉠ (2)-㉢ (3)-㉡ 02 (1) 용암 (2) 사투리

제주도는 우리나라에서 가장 큰 섬이에요. 오래전 화산이 폭발하면서 섬 전체가 만들어졌지요. 그래서 우리나라의 육지와는 다른 신기한 특성을 아주 많이 가지고 있어요. 제주도는 땅 대부분이 현무암으로 이루어져 있어요. 현무암은 구멍이 송송 뚫린 까만 돌이에요. 화산에서 흘러나온 뜨거운 용암이 굳을 때 김이 빠져나가면서 구멍이 뚫린 돌이지요. 또, 제주도에는 오름이 많아요. 오름은 언덕처럼 얕은 산을 말하는데, 화산이 폭발할 때 그 화산 위에 생겨난 작은 화산이 바로 오름이랍니다.

▶제주도의 지리적 특징

제주도는 '삼다도'라는 별명이 있어요. 세 가지가 많은 섬이라는 뜻이지요. 제주도에 많은 세 가지는 돌, 바람 그리고 여자예요. 제주도는 화산으로 생긴 섬이기 때문에 돌이 많고, 바다로 둘러싸여 있기 때문에 바람이 많이 불어요. 그리고 바다에서 일하는 해녀들이 많아요.

▶제주도에 많은 세 가지

제주도는 육지와 멀리 떨어져 있어서 제주도만의 사투리가 잘 남아 있어요. 예를 들어 '무싱거 하미꽈?'라는 말은 '무엇을 하십니까?'라는 뜻이에요. '어디 갔단 왐수과?'는 '어디 갔다 오십니까?'를 뜻하는 사투리이지요. 이러한 제주도의 사투리는 육지에서 쓰이는 표준어와 많이 다르기 때문에 때로는 제주도 사람들과 이야기할 때 어려움을 겪기도 해요. 하지만 제주도 사투리는 제주도의 특성을 드러내는 소중한 말이랍니다. ▶제주도 사투리의 특징

> **이렇게 지도해 주세요!** 이 글은 제주도의 지형적 특징, 제주도의 별명, 제주도의 언어 등 제주도의 다양한 특성을 소개한 글입니다. 각 문단에서 설명하는 제주도의 특성을 잘 이해할 수 있도록 지도해 주세요.
>
> • **주제** 다양한 측면으로 살펴본 제주도의 특성

---

1 이 글은 우리나라에서 가장 큰 섬인 '제주도'의 여러 가지 특성을 소개하는 글입니다.

2 제주도는 돌, 바람, 여자가 많아 삼다도라는 별명이 있다고 하였습니다. 하지만 여자와 남자 중 누가 더 많이 사는지는 나타나 있지 않습니다.

3 '현무암'은 구멍이 송송 뚫린 까만 돌이라고 하였습니다.

4 제주도에 많은 세 가지는 돌, 바람, 여자라고 하였습니다. 따라서 돌 그림과 해녀 그림을 찾아야 합니다.

오답 풀이
① 제주도에 꽃이 많다는 설명은 하지 않았습니다.
② 제주도에 나비가 많다는 설명은 하지 않았습니다.
④ 제주도에 개가 많다는 설명은 하지 않았습니다.

5 삼다도는 '세' 가지가 많은 '섬'이라는 뜻입니다.

6 '사투리'는 '어느 한 지방에서만 쓰는, 표준어가 아닌 말.'을 뜻합니다. 따라서 '표준어'는 '사투리'와 서로 뜻이 반대인 낱말입니다. 표준어의 뜻은 '한 나라에서 공용어로 쓰는 규범으로서의 언어.'입니다.

7 이 글은 제주도의 다양한 특성을 소개한 글입니다. 먼저 제주도는 '화산'이 폭발하면서 생겨난 섬입니다. 따라서 화산섬으로서의 특성을 많이 가지고 있습니다. 다음으로 제주도는 '삼다도'라는 '별명'이 있습니다. 마지막으로 제주도에는 제주도만의 '사투리'가 잘 남아 있습니다.

> **생각 글 쓰기**
>
> ✦**예시 답안** 화산 폭발로 만들어진 섬이기 때문이다.
>
> **이렇게 지도해 주세요!** 제주도는 오래전 화산이 폭발하면서 섬 전체가 만들어졌다고 하였습니다. 따라서 육지와는 다른 화산섬으로서의 특성을 많이 가지고 있다고 설명해 주세요.

▶ 본문 118~121쪽

1 한옥 2 ④ 3 방, 방바닥, 널빤지 4 ⑤ 5 ① 6 한옥, 온돌, 자연

어휘 다지기 01 (1)-ⓒ (2)-㉠ (3)-ⓒ 02 (1) 처마 (2) 공해

한옥은 우리나라 고유의 모양과 방법으로 지은 집이
에요. 오늘날 우리들은 주로 시멘트로 지은 양옥에 살고
_{4번의 근거}
있어서 한옥을 볼 기회가 많지 않지만, 한옥에는 여러
가지 좋은 점이 있어요.
_{2번의 근거}
▶한옥의 좋은 점

한옥의 가장 좋은 점은 온돌과 마루가 있다는 점이에
요. 온돌은 방 밑으로 따뜻한 기운을 지나가게 하여 방
_{3번의 근거}
바닥을 데우는 장치예요. 외국의 벽난로처럼 공기를 데
우는 것이 아니라 방바닥을 데우기 때문에 땔감이 더 적
게 들고 따뜻함이 오래가지요. 또, 방을 덥힐 때 쓰는 불
로 요리도 할 수 있어서 (㉠). 마루는 널빤
_{3번의 근거}
지로 된 방바닥을 말하는데, 이 방바닥은 땅과 닿지 않
고 떨어져 있어서 땅바닥의 축축한 기운이 방으로 들어
오지 않아요. 마루가 있으면 바람이 잘 통해서 여름에
_{2번의 근거}
시원하기도 하지요.
▶한옥의 온돌과 마루

한옥의 두 번째 좋은 점은 자연을 해치지 않고 자연 그
대로와 잘 어울린다는 점이에요. 한옥을 지을 때는 흙과
_{2번, 4번의 근거}
돌, 나무를 주로 사용하는데, 이 재료들은 다듬을 때 공
_{2번의 근거}
해가 생기지 않아요. 또, 이 재료로 지은 한옥에서 사람
_{2번의 근거}
이 오래 살아도 사람에게 해가 가지 않지요.
▶한옥은 자연을 해치지 않음.

한옥의 세 번째 좋은 점은 아름답다는 점이에요. 우리
가 살고 있는 집들은 거의 네모반듯한 모양이에요. 하지
만 한옥은 처마 양쪽 끝이 하늘을 향해 부드럽게 올라가
_{4번의 근거}
있지요. 우리 조상들은 예로부터 이러한 처마의 모습을
_{4번의 근거}
아름답다고 여겼답니다.
▶한옥 처마의 아름다움

이렇게 지도해 주세요! 이 글은 우리나라의 전통 건축물인 한옥의
장점을 소개한 글입니다. 평소에 절이나 민속촌에서 한옥을 봤던
기억을 떠올리며 글을 읽을 수 있도록 지도해 주세요.
• **주제** 한옥의 다양한 장점

---

1 이 글은 '한옥'의 좋은 점을 소개한 글입니다.

2 한옥을 지을 때 흙과 돌, 나무를 주로 사용하는데 이 재
료들은 다듬을 때 공해가 생기지 않는다고 하였습니다.

3 온돌은 '방' 밑으로 따뜻한 기운을 지나가게 하여 '방바
닥'을 데우는 장치라고 하였고, 마루는 '널빤지'로 된 방
바닥을 말한다고 하였습니다.

4 한옥은 처마 양쪽 끝이 하늘을 향해 부드럽게 올라가
있다고 하였습니다.

오답 풀이
① 우리가 주로 살고 있는 양옥이 네모반듯하다고 하였습니다.
② 한옥은 양옥을 지을 때 사용하는 시멘트가 아닌 흙과 돌, 나무를
주로 사용하여 짓는다고 하였습니다.
③ 오늘날 우리들은 시멘트로 지은 양옥에 살고 있다고 하였습니다.
④ 우리 조상들은 예로부터 처마가 하늘을 향해 부드럽게 올라가 있
는 모습을 아름답게 여겼다고 하였습니다.

5 '꿩 먹고 알 먹기'는 '한 가지 일을 하여 두 가지 이상의
이익을 보게 됨을 비유적으로 이르는 말.'로, 불을 때서
방도 덥히고 요리도 하는 상황에 알맞은 속담입니다.

오답 풀이
② 실속 없는 사람이 겉으로 더 떠들어 댐을 비유적으로 이르는 속
담입니다.
③ 얕은수로 남을 속이려 한다는 뜻의 속담입니다.
④ 어렵거나 나쁜 일이 겹치어 일어난다는 뜻의 속담입니다.
⑤ 아무 관계 없이 한 일이 공교롭게도 때가 같아 어떤 관계가 있는
것처럼 의심을 받게 됨을 비유적으로 이르는 속담입니다.

6 이 글은 '한옥'의 좋은 점을 소개한 글입니다. 첫 번째
좋은 점은 '온돌'과 마루가 있다는 점입니다. 두 번째 좋
은 점은 집을 짓고 생활할 때 '자연'을 해치지 않는다는
점입니다. 세 번째 좋은 점은 한옥 처마의 모양이 아름
답다는 점입니다.

생각 글 쓰기

◆**예시 답안** 공기를 데우는 것이 아니라 방바닥을
데우기 때문이다.

이렇게 지도해 주세요! 온돌은 외국의 벽난로처럼 공기를 데우는
것이 아니라 방바닥을 데우기 때문에 땔감이 더 적게 든다고
하였습니다. 이처럼 온돌은 과학적이고 효율적인 난방 장치이
기 때문에 현대 양옥에도 응용되어 사용된다고 설명해 주세요.

▶ 본문 122~125쪽

1 2, 8　2 이　3 ①　4 ④　5 ③　6 유빈　7 (1)-ⓒ (2)-㉠ (3)-ⓒ

어휘 다지기　01 (1)-ⓒ (2)-ⓒ (3)-㉠　02 (1) 다물었다 (2) 쏙

아, 아　　　○↔△: 대비되는 상황

입을 더 크게 벌려야 하는데
　　　　　해야 하는 일

으, 응

점점 입이 다물어진다　▶1연: 치과에서 이를 뽑는데 무서운 마음이 듦.
　　　말하는 이가 겪은 일

┌ 이를 빼야 하는데
│　　해야 하는 일
│ 눈물이 먼저
㉮
│ 쏙
└ 빠진다　▶2연: 이를 뽑기도 전에 눈물을 흘림.
　말하는 이가 겪은 일

이렇게 지도해 주세요! 이 시는 말하는 이가 치과에 이를 뽑으러 갔다가 무서워서 이를 뽑기도 전에 눈물을 흘린 경험을 표현한 작품입니다. 자신의 경험을 떠올려 말하는 이의 마음을 헤아려 보고, 시를 읽은 뒤의 감상을 자유롭게 이야기할 수 있도록 지도해 주세요.
• **주제** 치과에서 눈물을 흘린 '나'

1 이 시는 '2'연 '8'행으로 이루어져 있습니다.

2 말하는 이는 '이'를 뽑기 위해 치과에 갔습니다.

3 말하는 이는 이를 빼야 하는데 눈물이 먼저 쏙 빠졌다고 하였습니다. 이 말을 통해 말하는 이가 이를 빼는 것이 무서웠고, 그래서 입을 벌리지 못한 것임을 알 수 있습니다.

4 말하는 이는 치과에서 치료를 받을 때 입을 크게 벌리지 못하고 점점 다물었습니다. 또, 이를 뽑기 전에 눈물을 흘렸습니다. 이러한 표현으로 미루어 보아 말하는 이가 겁이 난 것을 알 수 있습니다.

5 '눈물이 쏙 빠지다.'는 '눈물이 나다.'라는 뜻을 가진 관용 표현입니다. 따라서 '빠진다' 대신 쓸 수 있는 낱말은 '흐른다'입니다.

오답 **풀이**

① '담다'는 '어떤 물건을 그릇 등에 넣다.'라는 뜻의 낱말입니다.
② '지우다'는 '쓴 글씨나 그린 그림, 흔적 등을 지우개나 천 등으로 보이지 않게 없애다.'라는 뜻의 낱말입니다.
④ '그리다'는 '연필, 붓 등으로 어떤 사물의 모양을 그와 닮게 선이나 색으로 나타내다.'라는 뜻의 낱말입니다.
⑤ '채우다'는 '일정한 공간에 사람, 사물, 냄새 등을 가득하게 하다.'라는 뜻의 낱말입니다.

6 이 시의 말하는 이는 치과에서 이를 뽑으며 무서운 마음이 들었습니다. 유빈이는 주사 맞기 무서웠던 경험을 말하였으므로 말하는 이가 겪은 일과 비슷한 경험을 이야기한 것입니다.

7 (1) 병원에서 이를 진찰하고 있습니다. 치아의 상태를 검사하거나 이를 뽑거나 치료할 수 있는 병원은 ⓒ'치과'입니다.
(2) 병원에서 시력을 검사하고 있습니다. 시력을 검사하거나 다친 눈을 치료할 수 있는 병원은 ㉠'안과'입니다.
(3) 병원에서 얼굴과 팔, 다리 등의 피부를 진찰하고 있습니다. 피부 상태를 검사하거나 피부를 치료할 수 있는 병원은 ⓒ'피부과'입니다.

생각 글 쓰기

◆ **예시 답안** 이를 뺀다고 할 때의 '빼다'와 짝을 이루는 낱말을 쓰기 위해서이다.

이렇게 지도해 주세요! 이 시에서는 치과에서 해야 하는 일과 말하는 이가 실제로 하고 있는 일이 짝을 이루게 하여 시를 읽는 재미를 더하고 있습니다. 1연에서 '벌리다-다물어지다'가 짝을 이루는 것처럼 '빼다'와 다음에 나오는 낱말이 짝을 이루게 하기 위해 단순히 '눈물이 난다'고 하지 않고 '눈물이 쏙 빠진다'고 표현하였다고 설명해 주세요.

29회 강아지똥_권정생

▶ 본문 126~129쪽

1 강아지 2 참새, 흙덩이, 아저씨 3 ④ 4 ② 5 ③ 6 밭
7 ③

어휘다지기 01 (1)-ⓒ (2)-ⓔ (3)-ⓐ 02 (1) 곁눈질 (2) 산비탈

돌이네 흰둥이가 똥을 눴어요. 골목길 담 밑 구석 쪽이
에요. 흰둥이는 조그만 강아지니까 <u>강아지똥</u>이에요. 날
아가던 참새 한 마리가 보더니 강아지똥 곁에 내려앉아
콕콕 쪼면서

"똥! 똥! 에그, 더러워……." / 하면서 날아가 버렸어요.
▶ 참새를 만난 강아지똥

"뭐야! 내가 똥이라고? 더럽다고?"

강아지똥은 화도 나고 서러워서 눈물이 나왔어요. 바
로 저만치 소달구지 바퀴 자국에서 뒹굴고 있던 흙덩이
가 곁눈질로 흘끔 쳐다보고 빙긋 웃었어요.

"뭣 땜에 웃니, 넌?"

강아지똥이 화가 나서 대들 듯이 물었어요.

"똥을 똥이라 않고 그럼 뭐라 부르니? 넌 똥 중에서도
가장 더러운 개똥이야!"

강아지똥은 그만 "으앙!" 울음을 터뜨려 버렸어요.
▶ 흙덩이를 만난 강아지똥

한참이 지났어요.

"강아지똥아, 내가 잘못했어. 그만, 울지 마."
흙덩이가 정답게 강아지똥을 달래었어요.

"……." / "정말은 내가 너보다 더 흉측하고 더러울지
몰라……." / 흙덩이가 얘기를 시작하자, 강아지똥도
어느새 울음을 그치고 귀를 기울였어요.

"……본래 나는 저어쪽 산비탈 밭에서 곡식도 가꾸고
채소도 키웠지. 여름엔 보랏빛 하얀빛 감자꽃도 피우
고……."

"그런데 왜 여기 와서 뒹굴고 있니?"

강아지똥이 물었어요.

"내가 아주 나쁜 짓을 했거든. 지난여름, 비가 내리지
않고 가뭄이 무척 심했지. 그때 내가 키우던 아기 고
추를 끝까지 살리지 못하고 죽게 해 버렸단다."

"어머나! 가여워라."

"그래서 이렇게 벌을 받아 달구지에 실려 오다 떨어진
거야. 난 이제 끝장이야."

그때 저쪽에서 소달구지가 덜컹거리며 오더니 갑자기
멈추었어요.

"아니, 이건 우리 밭 흙이잖아? 어제 싣고 오다가 떨어
뜨린 모양이군. 도로 (㉠)에다 갖다 놓아야지."

소달구지 아저씨는 흙덩이를 소중하게 주워 담았어요.
소달구지가 흙덩이를 싣고 가 버리자 <u>ⓛ강아지똥이 혼자
남았어요.</u>

▶ 혼자 남은 강아지똥

> **이렇게 지도해 주세요!** 이 글은 강아지똥이 자신의 온몸을 바쳐 민
> 들레꽃을 피워 낸다는 동화 「강아지똥」의 일부분입니다. 평범하고
> 쓸모없어 보였던 것의 소중함을 느낄 수 있도록 지도해 주세요.
> • **주제** 작고 평범한 것이 베푸는 사랑

1 이 글의 주인공은 흰둥이가 눈 '강아지똥'입니다.

2 강아지똥은 '참새'를 가장 먼저 만났고, 그 후 '흙덩이'를
만났고, 마지막으로 소달구지 '아저씨'를 만났습니다.

3 소달구지 아저씨가 주워 담은 것은 흙덩이입니다.

4 참새는 강아지똥을 콕콕 쪼면서 '더럽다'고 하였습니다.
또, 흙덩이는 강아지똥에게 똥 중에서도 가장 더러운
개똥이라고 하였습니다.

5 흙덩이는 한참 뒤에 강아지똥에게 사과하였습니다.

6 소달구지 아저씨는 밭에 있던 흙덩이를 ㉠에 도로 갖다
놓는다고 하였습니다. '도로'는 '본래의 상태대로.'라는
뜻의 낱말이므로, ㉠은 '밭'입니다.

7 강아지똥을 정답게 달래던 흙덩이가 사라졌을 때 강아
지똥이 느꼈을 기분으로 알맞은 것은 외로움입니다.

> **생각 글 쓰기**
>
> ◆예시 **답안** 흙덩이가 아기 고추를 끝까지 살리지
> 못하고 죽게 했기 때문이다.
>
> **이렇게 지도해 주세요!** 흙덩이는 지난여름 아기 고추를 끝까지
> 살리지 못하고 죽게 해 버렸다고 말하였습니다. 이처럼 흙덩이
> 는 생명을 귀히 여기는 것을 깨끗한 것으로, 그러지 못한 것을
> 더러운 것으로 생각했다고 설명해 주세요.

1 사자, 생쥐 2 ① 3 코털 4 사자, 허리 5 ⑤ 6 ④ 7 ④
어휘다지기 01 (1)-㉠ (2)-㉢ (3)-㉡ 02 (1) 보답 (2) 용서

생쥐가 **노오란 들판**을 뛰어다니며 중얼거렸어요.
이야기의 주인공 ①
"어, 이상하다. 왜 이렇게 땅이 푹신푹신하지?"

그 순간, 생쥐는 앞으로 쭉 미끄러졌어요.

"뭐야, 감히 잠자는 사자의 코털을 건드리다니!"
3번의 근거
"앗, 이건 사자님 목소리인데……?"
이야기의 주인공 ②
생쥐가 정신없이 뛰어다니던 들판이 바로, 사자의 허리
4번의 근거
였던 거예요. 쭉 미끄러졌다 멈춘 곳은 사자의 코였고요.

"네 이놈! 내 단잠을 깨우고도 살아남길 원했느냐!"
2번의 근거
▶생쥐가 사자의 잠을 깨움.
"헉, 사자님, 모르고 그랬어요. 용서해 주세요."

생쥐가 두 발로 싹싹 빌며 애원했어요. 사자는 커다란
발로 생쥐의 꼬리를 잡아 올렸어요. 생쥐가 사자의 코앞
2번의 근거
에서 대롱거리며 눈물을 흘렸답니다.

"사자님, 살려 주시면 꼭 보답할게요."

㉠"조그만 생쥐 녀석이 무슨 보답을 하겠느냐? 됐다.
용서해 줄 테니 그만 가 보거라. 난 더 자야겠다."

사자는 길게 하품을 하고는 생쥐를 놓아주었어요. 〈중략〉
2번의 근거
▶사자가 생쥐를 살려 줌.
며칠이 지났어요. 배고픈 사자가 어슬렁거리며 길을
가고 있었답니다. 그런데 갑자기 휙휙 하는 소리가 나더
니, 사자 위로 그물이 뚝 떨어지는 거예요.

"헉, 사냥꾼의 그물이다!"

사자가 꼼짝도 못하게 그물이 팽팽하게 조여 왔어요.
발톱을 세워서 그물을 끊어 보려고 해도 소용없었지요.
▶사자가 사냥꾼의 그물에 잡힘.
"엉엉, 내가 이렇게 죽다니…… 믿을 수 없어."

사자의 커다란 눈에서 눈물이 뚝뚝 떨어졌어요. 그런
2번의 근거
데 그때, 생쥐가 나타났어요.
2번의 근거
㉡"사자님, 제가 구해 드릴게요. 잠시만 기다리세요."
▶생쥐가 사자를 구해 줌.

이렇게 지도해 주세요! 이 글은 생쥐를 용서해 준 사자가 생쥐의
도움을 받는다는 내용의 이솝 우화입니다. 글을 읽고 다른 사람
을 용서하고 도와야 하는 까닭을 느낄 수 있도록 지도해 주세요.
• **주제** 사자에게 은혜를 갚은 생쥐

1 이 글은 사자의 도움을 받은 '생쥐'가 '사자'를 구한다는
내용의 이솝 우화입니다.

2 생쥐가 사자에게 애원하자 사자는 생쥐를 놓아주었다
고 하였습니다.

3 사자는 "감히 잠자는 사자의 코털을 건드리다니!"라고
말하며 일어났습니다. 생쥐가 앞으로 미끄러지면서 건
드린 것은 사자의 '코털'입니다.

4 생쥐가 정신없이 뛰어다니던 들판이 바로 '사자'의 '허
리'였다고 하였습니다.

5 사자는 생쥐가 보답하겠다고 하자 "조그만 생쥐 녀석이
무슨 보답을 하겠느냐? 됐다."라고 말하였습니다. 이
말을 통해 사자가 생쥐의 말을 중요하지 않다고 생각했
음을 알 수 있습니다.

6 생쥐는 사자에게 구해 드릴 테니 잠시만 기다리라고 말
하였습니다. 따라서 이 글에 이어질 내용으로 알맞은
것은 생쥐가 사자를 구하는 내용입니다.

7 은혜를 갚는다는 말은 '고맙게 베풀어 주는 신세나 혜
택에 대하여 그에 상당하게 돌려주다.'라는 뜻입니다.
생쥐는 사자가 자신을 살려 준 일을 되돌려 주려 하므
로 '은혜를 갚다'가 알맞은 표현입니다.

오답 풀이
① '믿음이나 의리를 저버리다.'라는 뜻입니다.
② '어떤 행동이나 견해, 제안 등에 따르지 아니하고 맞서 거스르다.'
라는 뜻입니다.
③ '좋은 점이나 착하고 훌륭한 일을 높이 평가하다.'라는 뜻입니다.
⑤ '척하다'는 '앞말이 뜻하는 행동이나 상태를 거짓으로 그럴듯하게
꾸밈을 나타내는 말.'을 뜻합니다.

생각 글 쓰기

✦**예시 답안** 힘센 사자라도 누군가에게 도움을 받을
일이 생기기 때문이다.

이렇게 지도해 주세요! 사자는 생쥐가 보답한다는 말을 무시하였
지만, 결국 생쥐의 도움을 받았습니다. 이처럼 우리는 몸집이
크거나 작은 것, 힘이 세거나 약한 것에 상관없이 서로 도움을
주고 받으며 살아간다고 설명해 주세요.

1 ③ 2 ④ 3 ㄹ 4 재게 5 ④ 6 북한, 펭귄

어휘다지기 01 (1)-ⓒ (2)-ⓛ (3)-ⓙ 02 (1) 유명 (2) 비밀

집에서나 학교에서 뽀로로를 본 적이 있을 거예요. 뽀로로는 언제 보아도 참 재미있어요. 이런 뽀로로를 언제, 누가 만들었을까요? 뽀로로의 출생에는 비밀이 숨겨져 있어요. 이 비밀이 무엇인지 한번 알아보도록 해요.
▶뽀로로의 출생에 담긴 비밀

뽀로로는 사실 만화 영화로 유명한 미국의 회사나 우리나라 회사가 단독으로 만든 캐릭터가 아니에요. 우리나라 회사와 북한 회사가 힘을 합쳐서 만든 캐릭터랍니다. 그중에서도 특히 「뽀롱뽀롱 뽀로로」의 앞 내용은 북한 회사가 만들었어요. 북한과 우리나라가 힘을 합한 덕분에 뽀로로는 2012년도에 통일부 홍보 대사가 되었어요. 통일부 홍보 대사가 되려면 '통일에 관심이 많고 자기 자리에서 통일 준비를 실천할 수 있는 대중적인 인사'이어야 하는데, 여기에 뽀로로가 가장 알맞았기 때문이에요.
▶뽀로로의 출생

그렇다면 펭귄 캐릭터가 어떻게 '뽀로로'라는 이름을 가지게 된 것일까요? '뽀로로'라는 이름이 어린이가 쉽게 소리 낼 수 있는 말이고 귀여운 소리가 나는 말이라서 붙은 것만은 아니에요. 국어사전에서 '쪼르르'를 찾아보면 '작은 발걸음을 재게 움직여 걷거나 따라다니는 모양.'이라고 실려 있어요. 만화 영화에서 펭귄인 뽀로로가 걷는 모습과 참 잘 어울리는 말이지요? 이 '쪼르르'의 'ㅉ'이 '펭귄'의 앞 글자인 'ㅍ'으로 바뀌어 '포르르'가 되고, '포르르'가 다시 '뽀로로'가 된 것이에요. 이처럼 '뽀로로'라는 이름은 캐릭터의 특성을 잘 보여 주려는 사람들의 노력으로 만들어졌어요.
▶뽀로로라는 이름의 유래

이렇게 지도해 주세요! 이 글은 뽀로로라는 캐릭터와 캐릭터의 이름이 어떻게 만들어졌는지 설명하는 글입니다. 뽀로로에 숨겨진 비밀을 알아보며 재미있게 글을 읽도록 지도해 주세요.
• **주제** 뽀로로라는 캐릭터와 캐릭터의 이름이 만들어진 배경

1 이 글은 뽀로로라는 캐릭터와 캐릭터의 이름이 어떻게 만들어졌는지 뽀로로의 출생에 숨겨진 비밀을 설명하였습니다. 학교는 중요한 낱말이 아닙니다.

2 뽀로로는 '우리나라' 회사와 '북한' 회사가 힘을 합쳐 만든 캐릭터라고 하였습니다.

3 '뽀로로'라는 말은 어린이가 쉽게 소리 낼 수 있다고 하였습니다.

오답 풀이
㉠ 뽀로로는 펭귄 모양의 캐릭터라고 하였습니다.
㉡ '뽀로로'는 언제 보아도 참 재미있다고 하였습니다.
㉢ 뽀로로는 2012년도에 통일부 홍보 대사가 되었다고 하였습니다.

4 국어사전을 찾아보면 '쪼르르'는 "작은 발걸음을 '재게' 움직여 걷거나 따라다니는 모양."이라고 나와 있습니다.

5 뽀로로는 펭귄이라고 하였습니다.

오답 풀이
① 돌고래 그림입니다.
② 북극곰 그림입니다.
③ 갈매기 그림입니다.
⑤ 물개 그림입니다.

6 이 글은 뽀로로라는 캐릭터와 캐릭터의 이름이 어떻게 만들어졌는지 설명하는 글입니다. 뽀로로는 우리나라 회사와 '북한' 회사가 힘을 합해 만들었다고 하였습니다. 뽀로로라는 이름은 '펭귄' 캐릭터가 걷는 모습과 어울리는 말이 이름이 된 것이라고 하였습니다.

생각 글 쓰기

◆**예시 답안** 올림픽에 함께 나갔다.

이렇게 지도해 주세요! 우리나라와 북한은 나뉘어 있지만 북한과의 협력은 계속되고 있습니다. 만화 영화 제작뿐만 아니라 우리나라와 북한이 함께 하는 일들에 또 어떤 것이 있는지 알아보고, 통일에 대하여 생각해 볼 수 있도록 지도해 주세요.

1 핼러윈 2 ㉡ 3 ⑤ 4 ㉰ 5 ⑤ 6 유래, 태도

어휘 다지기 01 (1)-㉢ (2)-㉡ (3)-㉠ 02 (1) 분장 (2) 무조건

핼러윈은 미국에서 유명한 기념일이에요. 하지만 핼러
_{2번의 근거}   _{2번의 근거}
윈을 맨 처음 기념한 사람들은 북부 유럽에 살던 사람들이
에요. 아주 오래전 북부 유럽에서는 10월 31일을 여름의
마지막으로 보고 11월 1일을 새해 첫날로 생각했어요. 10
            _{2번의 근거}
월 31일이 농사가 끝나고 긴 겨울이 시작되기 바로 전날이
었던 것이지요. 사람들은 이 마지막 날을 살아 있는 사람
들과 이미 죽은 사람들을 구분하는 것이 어려운 날이라고
여기고 기념했어요. 바로 이것이 핼러윈의 유래예요.
                                        ▶ 핼러윈의 유래
  핼러윈 날에는 아이들이 집집마다 돌아다니며 '장난을
                        _{3번의 근거}
칠까요, 아니면 사탕을 주실래요?'라고 말하며 문을 두
드려요. 그러면 집 안에 있는 어른들은 문을 열어 아이
들에게 사탕을 나누어 주지요. 집 주변에 속이 빈 호박
                            _{3번의 근거}
장식을 걸어 놓기도 해요. 어떤 사람들은 귀신이나 유명
한 캐릭터 분장을 하며 놀고, 유령의 집을 만들어 사람
들을 놀라게 하기도 해요. 그러나 미국 사람들 모두가 핼
                                  _{3번의 근거}
러윈을 즐기지는 않아요. 주로 교회에 다니는 사람들은
핼러윈이 귀신을 숭배하는 문화이기 때문에 기독교에서
의 가르침과 어긋난다고 생각해요. 그래서 장난을 쳐도
                                  _{3번의 근거}
사탕을 주지 않고, 사탕을 받으러 돌아다니지도 않지요.
                                  ▶ 핼러윈 날에 하는 놀이
  핼러윈은 아직 우리나라에 완전히 자리 잡지 않은 문
        _{3번의 근거}
화예요. 우리는 이런 문화를 어떻게 대해야 할까요? 미
국의 핼러윈 문화를 무조건 받아들이거나 우리나라의 문
화와 다르다고 무조건 싫어하는 태도는 바르지 못한 태
도예요. 나라마다 다양한 문화가 있다는 것을 알고 열린
          _{5번의 근거}
마음으로 관심을 가지는 것이 바람직한 태도예요.
                ▶ 다른 나라의 문화를 대하는 바람직한 태도

이렇게 지도해 주세요! 이 글은 핼러윈이 어떤 날인지 설명하고 다
른 나라의 문화를 받아들이는 올바른 태도에 대한 글쓴이의 생
각을 전달한 글입니다. 외국의 낯선 문화를 익히고 바람직한 태
도로 대할 수 있도록 지도해 주세요.
• **주제** 핼러윈의 뜻과 다른 문화를 받아들이는 올바른 태도

---

1 이 글은 '핼러윈'이 어떤 날인지 설명하고, 문화를 받아
들이는 태도에 대한 글쓴이의 생각을 전달한 글입니다.

2 핼러윈을 처음 기념한 사람들은 북부 유럽 사람들입니다.

3 아이들은 핼러윈 날이면 집집마다 사탕을 받으러 돌아
다닌다고 하였습니다.

오답 풀이
① 미국 사람들 중에서 기독교를 믿는 사람들은 핼러윈이 귀신을 숭
배하는 문화라고 생각하여 즐기지 않는다고 하였습니다.
② 핼러윈 날에는 호박으로 사탕을 만들어 먹는 것이 아니라 집 주
변에 속이 빈 호박 장식을 걸어 놓는다고 하였습니다.
③ 핼러윈은 아직 우리나라에 완전히 자리 잡지 않은 문화라고 하였
습니다.
④ 기독교를 믿는 사람들은 핼러윈에 사탕을 주지 않고, 사탕을 받
으러 돌아다니지도 않는다고 하였습니다.

4 호박 장식과 아이들의 분장을 통해 핼러윈 날의 모습이
라는 것을 알 수 있습니다.

오답 풀이
㉮ 산타 할아버지와 사슴을 통해 크리스마스 날의 모습이라는 것을
알 수 있습니다.
㉯ 가족이 함께 한복을 입고 있는 장면을 통해 우리나라의 명절 모
습이라는 것을 알 수 있습니다.

5 다른 나라의 문화를 무조건 받아들이거나 싫어하는 태
도는 바르지 못한 태도라고 하였습니다. 나라마다 다양
한 문화가 있다는 것을 알고 관심을 가지는 태도는 ⑤
번입니다.

6 이 글은 먼저 핼러윈의 '유래'를 설명하였고, 다음으로
핼러윈 날에 하는 놀이를 소개하였습니다. 마지막으로
다른 나라의 문화를 대하는 바람직한 '태도'에 대한 글
쓴이의 생각을 전달하였습니다.

생각 글 쓰기

◆**예시 답안** 외국 사람들은 차례를 지내지 않기 때
문에 낯설게 느껴질 것이다.

이렇게 지도해 주세요! 나라마다 저마다의 다양한 문화를 가지고
있습니다. 아이들이 낯선 문화를 멀리하거나 무조건적으로 따
라하지 않고 우리나라의 문화와 다른 나라의 문화를 모두 존중
할 수 있도록 지도해 주세요.

33회 에너지를 아껴 써요

▶ 본문 144~147쪽

1 ④ 2 물체, 힘 3 ④ 4 ③ 5 28 6 성희 7 에너지, 온도, 운동

어휘다지기 01 (1)-ⓒ (2)-㉠ (3)-ⓛ 02 (1) 전원 (2) 낭비

에너지는 물체가 가지고 있는, 일을 할 수 있는 힘을 말
(2번의 근거)
해요. 전기는 여러 가지 물건들을 움직이게 하는 소중한
에너지 가운데 하나예요. 우리는 전기와 같은 에너지를
아껴 써야 해요. 지구의 에너지 양은 정해져 있는데, 우리
가 너무 많이 쓰면 남은 에너지의 양이 줄어들기 때문이
에요. 우리는 앞으로 태어나서 살아갈 사람들을 생각해야
해요. 또, 에너지를 아껴 쓰지 않으면 지구가 오염돼요.
(3번의 근거)
그 까닭은 전기를 만들 때 나쁜 물질이 나와서 (㉠).
▶에너지를 아껴 써야 하는 까닭
우리는 여러 장소에서 에너지를 낭비하고 있어요. 먼
저 집 밖으로 나가면서 방의 불이나 텔레비전을 끄지 않
아서 에너지를 낭비할 때가 있어요. 더운 여름에는 에어
컨의 목표 온도를 추울 정도로 낮게 맞추어 전기를 낭비
하기도 해요. 또 학교에서 체육 수업을 하러 운동장에
나갈 때 선풍기나 에어컨을 끄지 않고 나가기도 하지요.
▶에너지를 낭비하는 사례
소중한 에너지를 아끼기 위해서는 어떻게 해야 할까
요? 사용하지 않는 곳의 전등을 끄고, 텔레비전을 보지
않을 때는 전원을 꺼야 해요. 그리고 더운 여름이라도 실
내 온도는 섭씨 24~28도로, 너무 낮지 않게 하는 것이
(5번의 근거)
좋아요.
▶에너지를 절약하는 방법
ⓛ'지구촌 불 끄기 운동' 같은 전 세계적인 운동에 함께
(6번의 근거)
하는 것도 에너지를 아끼는 방법이에요. 이 운동은 지구
의 환경을 보호해야 한다는 사실을 전 세계적으로 알리기
(6번의 근거)
위해 시작되었지요. 매년 3월 넷째 주 토요일 저녁이 되면
(6번의 근거)
운동에 함께하는 사람들은 약 한 시간 정도 집 안의 모든
불을 꺼요. 그리고 에너지를 절약하겠다고 다짐해요. 이렇
게 우리는 여러 가지 방법으로 에너지를 아낄 수 있어요.
(6번의 근거)
▶지구촌 불 끄기 운동

이렇게 지도해 주세요! 이 글은 에너지를 아껴 쓰자는 주장과 주장
을 실천하는 방법이 담긴 글입니다. 에너지가 무엇이고 어떻게
아껴 쓸 수 있는지 알 수 있도록 지도해 주세요.
• **주제** 에너지를 아껴 써야 한다.

1 이 글은 에너지를 아껴 쓰자고 주장하는 글입니다. '체육'은 이 글에서 중요한 낱말이 아닙니다.

2 에너지는 '물체'가 가지고 있는, 일을 할 수 있는 '힘'을 말합니다.

3 바로 앞 문장에서 에너지를 아껴 쓰지 않으면 지구가 오염된다고 하였으므로, ㉠에 들어갈 말로는 '지구의 환경을 오염시키기 때문이지요.'가 알맞습니다.

4 창문을 활짝 열고 에어컨을 켜면 에어컨에서 나오는 시원한 바람이 모두 밖으로 나가게 됩니다. 에너지를 아끼려면 에어컨을 켤 때는 창문을 닫아야 합니다.

오답 풀이
① 텔레비전을 본 뒤에 전원을 끄면 에너지가 절약됩니다.
② 집 밖으로 나갈 때 방의 불을 끄면 에너지가 절약됩니다.
④ 컴퓨터를 사용하고 나서 콘센트를 뽑으면 에너지를 절약할 수 있습니다.
⑤ 체육 시간에 수업을 하러 나갈 때 선풍기를 끄고, 교실의 불도 끄면 에너지를 절약할 수 있습니다.

5 여름의 실내 온도는 섭씨 24~'28'도로, 너무 낮지 않게 하는 것이 좋다고 하였습니다.

6 '지구촌 불 끄기 운동'은 매일 저녁이 아닌 매년 3월 넷째 주 토요일에 약 한 시간 정도 집 안의 모든 불을 끄는 것이라고 하였습니다.

7 이 글은 '에너지'를 아껴 써야 한다는 주장과 주장을 실천하는 방법을 담고 있습니다. 실천 방법에는 안 쓰는 전등과 텔레비전의 전원 끄기, 실내 '온도'를 너무 낮게 하지 않기, 에너지를 아끼는 '운동'에 참여하기가 있습니다.

생각 글 쓰기

◆**예시 답안** 냉장고에서 음식을 꺼낼 때 오랫동안 냉장고 문을 열어 두지 않는다.

이렇게 지도해 주세요! 평소 우리가 모르게 여러 곳에서 에너지가 낭비되고 있다는 사실을 알고 에너지를 절약하는 방법을 생각하여 실천할 수 있도록 지도해 주세요.

▶ 본문 148~151쪽

1 가족 2 ① 3 대가족 4 ③ 5 ④ 6 희정 7 형태, 대, 자녀

어휘다지기 01 (1)-ⓒ (2)-㉠ (3)-ⓛ 02 (1) 발전 (2) 일손

여러분은 몇 명의 가족과 함께 살고 있나요? 가족은 결혼으로 맺어지거나 핏줄로 이어진 사람들의 모임, 또는 그 모임을 이루는 사람을 말해요. 남편과 아내, 부모와 자식, 형제자매는 서로에게 가족이지요. 그런데 가족의 형태는 사회가 변화하면 함께 변한답니다.
4번의 근거
▶가족의 형태 변화

옛날에는 사람들이 주로 농사를 지으며 살았어요. 농
2번의 근거
사를 지으려면 일손이 아주 많이 필요했기 때문에 일을
4번의 근거
할 가족이 많으면 많을수록 좋았어요. 그래서 할머니, 할아버지와 함께 살았고 형제자매도 많았지요. 또, 공부를 가르쳐 줄 곳이 없었기 때문에 가족들에게 공부를 배
4번의 근거
워야 했어요. 이러한 까닭으로 과거에는 온 가족이 똘똘 뭉쳐 살았어요. 이렇게 식구 수가 많은 가족을 대가족이
3번의 근거
라고 불러요.
▶대가족이 생긴 까닭

사회가 발전하면서 공장과 회사, 학교가 많이 생겼어요. 이제 더 이상 한 집에 모여서 살 필요가 없어졌지요. 그래서 나이 드신 어르신들은 대부분 농촌에 그대로 남았지만, 많은 젊은 사람들은 일과 공부를 하기 위해 도
5번의 근거
시로 떠났어요. 도시에서 결혼을 하고 아이를 낳아 가족을 꾸렸지요. 이렇게 부부와 결혼하지 않은 어린 자녀들
4번의 근거
만 모인 가족을 핵가족이라고 불러요.
▶핵가족이 생긴 까닭

요즈음에는 가족의 모습이 더 다양해졌어요. 아이를 낳
4번의 근거
지 않고 부부끼리만 사는 가족도 생겼고, 엄마나 아빠가 아이를 혼자 키우는 가족도 많아졌지요. 또, 가족 없이 혼자 사는 1인 가구도 늘어나고 있답니다.
▶다양한 가족 형태

이렇게 지도해 주세요! 이 글은 가족의 뜻과 다양한 가족의 형태를 소개하고, 사회가 변화하면 가족의 형태도 변화한다고 설명하는 글입니다. 자신의 가족 구성원과 친구들의 가족 구성원이 다를 수 있다는 사실을 이해하도록 지도해 주세요.
• **주제** 사회 변화에 따른 가족의 형태 변화

1 이 글은 사회가 변화함에 따라 '가족'의 형태가 변화한다는 내용을 담고 있습니다.

2 옛날에는 사람들이 주로 '농사'를 지으며 살았다고 하였습니다.

3 식구 수가 많은 가족을 뜻하는 낱말은 '대가족'입니다.

4 가족의 형태는 사회가 변화하면 함께 변한다고 하였습니다.

5 나이 드신 어르신들은 대부분 농촌에 그대로 남고 젊은 사람들은 일과 공부를 하기 위해 도시로 떠났다고 하였습니다.

6 철수는 도시로 혼자 갔다고 하였습니다. 다른 가족들은 아직 농촌에 남아 있을 것이므로 온 가족들과 함께 살고 있다는 '희정'의 말은 알맞지 않습니다.

오답 풀이
나현: 철수는 어린 자녀와 사는 핵가족으로 살고 있습니다.
준기: 농사를 짓다가 도시로 가 결혼을 하는 사람은 예전보다 많아졌을 것입니다.

7 이 글은 사회가 변화함에 따라 가족의 '형태'가 변화한다는 내용의 글입니다. 과거에는 식구 수가 많은 '대'가족이 주를 이루었습니다. 하지만 도시로 올라온 젊은 사람들이 새로운 가족을 꾸리면서 부부와 결혼하지 않은 어린 '자녀'들만 모인 핵가족이 늘어났습니다. 요즈음에는 가족의 형태가 과거보다 더 다양해졌습니다.

생각 글 쓰기

◆**예시 답안** 농사를 지으려면 일손이 많이 필요했고, 가족들에게 공부를 배워야 했기 때문이다.

이렇게 지도해 주세요! 과거에는 사람들이 주로 농사를 짓고 살았기 때문에 일손이 많으면 많을수록 좋았고, 자녀들이 가족들에게 공부를 배워야 했기 때문에 온 가족이 똘똘 뭉쳐 살았다고 하였습니다. 이처럼 가족의 형태는 사회 환경의 영향을 받는다고 설명해 주세요.

1 한살이 2 (1) 볍씨 (2) 모 (3) 잎 (4) 꽃 3 모 4 싹 5 민들레, 사과나무 6 한 해, 여러 7 한살이, 벼, 한해

어휘다지기 01 (1)-㉠ (2)-㉢ (3)-㉡ 02 (1) 논 (2) 과정

사람은 태어나서 갓난아이 시절을 거쳐 어린이가 되지요. 그리고 또 자라서 어른이 되고 시간이 흐르면 할머니, 할아버지가 돼요. 어른은 다시 자기와 닮은 자식을 낳고, 자식은 또 자라서 어른이 되고 나이가 들어요. 사람이 이러한 과정을 거치는 것처럼 식물도 태어나고 자라서 늙는 과정을 거친답니다. 다 자란 식물은 죽기 전에 씨앗을 남기고, 그 씨앗이 다시 자라지요. 우리는 이것을 식물의 한살이라고 불러요.
▶ 식물의 한살이의 뜻

대표적으로 ㉰벼의 한살이를 살펴볼까요? 벼의 씨앗은 볍씨라고 해요. 농부들이 정성껏 보살피면 볍씨에서 싹이 트지요. _{2번, 4번의 근거} 이렇게 싹이 난 벼를 '모'라고 하는데, 농부들은 모가 어느 정도 크면 이것을 논에 옮겨 심어요. _{2번, 3번의 근거} 모는 넓은 논에서 쑥쑥 자라지요. 잎과 줄기가 자라고, 꽃이 피고, 열매가 열려요. _{2번의 근거} 이 열매의 껍질을 벗기면 우리가 먹는 쌀이 되는 거예요. 그리고 껍질을 벗기지 않은 벼의 열매는 볍씨로 써요. 볍씨를 흙에 심으면 다시 (㉠)이/가 튼답니다.
▶ 벼의 한살이

사람은 다 자라서 할머니, 할아버지가 될 때까지 시간이 오래 걸리지만 식물은 대부분 우리보다 짧은 시간 안에 나이를 먹어요. 벼는 일 년 만에 씨앗에서 자라나서 열매까지 맺고 죽어요. 이러한 식물은 한 해만 살고 죽는다고 해서 한해살이 식물이라고 불러요. 그리고 여러 해 동안 살아 있는 식물은 여러해살이 식물이라고 부르지요. 한해살이 식물은 열매도 한 해 동안만 맺지만, 여러해살이 식물은 여러 해를 살면서 여러 번 열매를 맺어요. _{6번의 근거} 옥수수, 강낭콩 같은 식물이 한해살이 식물에 속하고, 민들레나 사과나무 같은 식물이 여러해살이 식물에 속한답니다. _{5번의 근거}
▶ 한해살이 식물과 여러해살이 식물

이렇게 지도해 주세요! 이 글은 벼를 예로 들어 식물의 한살이를 설명한 글입니다. 식물뿐만 아니라 모든 생물종은 태어나서 자라고 죽는 과정을 거친다는 사실을 이해할 수 있도록 설명해 주세요.
• **주제** 식물의 한살이

1 이 글은 식물의 '한살이'를 설명한 글입니다.

2 식물의 한살이는 식물의 씨앗에서 싹이 나고 싹이 자라서 열매를 맺고 늙는 과정입니다. 그러므로 벼의 한살이에서 가장 앞에 놓이는 것은 '볍씨'입니다. 볍씨는 '모'가 되고, 모가 자라면서 '잎'과 줄기가 만들어집니다. 그 뒤 '꽃'이 피고 열매가 열립니다.

3 싹이 난 벼를 '모'라고 한다고 하였습니다.

4 볍씨는 벼가 자라서 맺은 열매입니다. 이 열매를 흙에 심으면 다시 벼에 '싹'이 트고 자라납니다.

5 '민들레'나 '사과나무' 같은 식물이 여러해살이 식물에 속한다고 하였습니다. 그 밖에도 대부분의 나무는 여러해살이 식물입니다.

6 한해살이 식물은 '한 해' 동안 살며 열매도 한 번 맺지만, 여러해살이 식물은 '여러' 해를 살면서 여러 번 열매를 맺는다고 하였습니다.

7 이 글은 벼를 예로 들어 식물의 한살이를 설명한 글입니다. 먼저 식물의 '한살이'가 무엇인지 설명하고, 다음으로 '벼'의 한살이를 살펴보았습니다. 마지막으로 '한 해'살이 식물과 여러해살이 식물을 비교하였습니다.

생각 글 쓰기

◆ **예시 답안** 쌀은 우리가 먹기 위해 껍질을 벗긴 것이고, 볍씨는 껍질을 벗기지 않은 것이다.

이렇게 지도해 주세요! 벼 열매의 껍질을 벗기면 우리가 먹는 쌀이 된다고 하였습니다. 또, 껍질을 벗기지 않은 벼의 열매는 볍씨로 쓴다고 하였습니다. 볍씨와 쌀의 차이를 이해할 수 있도록 설명해 주세요.

36회 이웃 간에 듣기 싫은 소리가 나지 않게 노력해요

▶ 본문 156~159쪽

1 이웃, 싫은　2 ③　3 ④　4 소음　5 고맙습니다(감사합니다)
6 죄송합니다(미안합니다)　7 이웃, 청소기, 집 안
어휘 다지기　01 (1)-㉠ (2)-㉢ (3)-㉡　02 (1) 건물 (2) 방해

　우리는 이웃과 함께 살고 있어요. 이웃은 옆 건물에 살기도 하고, 바로 윗집, 아랫집, 옆집에 살기도 해요. 이렇게 가까운 곳에 이웃이 살기 때문에 우리는 집 안에서
〈2번의 근거〉
여러 가지 소리를 들을 수 있어요. 우리 집에서 나는 여러 가지 소리를 이웃이 듣기도 하지요. 정답고 기분 좋은 소리가 오갈 때도 있지만, 항상 듣기 좋은 소리만 나
〈2번의 근거〉
누는 것은 아니에요. 듣기 싫은 소리를 들으면 기분이 나빠지고, 이웃과의 사이도 안 좋아질 거예요. 그렇기 때문에 우리는 이웃 간에 듣기 싫은 소리는 줄이고 듣기
좋은 소리는 나눌 수 있도록 노력해야 해요.
▶이웃 간에 듣기 좋은 소리만 나게 노력해야 함.
　밤이 깊은 시간에 피아노 치는 소리, 청소기와 세탁기
〈3번의 근거〉
돌리는 소리는 듣기 싫은 소리예요. 이런 소리는 늦은 시간에 이웃들이 쉬는 것을 방해해요. 집 안에서 쿵쿵
〈3번의 근거〉
뛰어다니는 소리도 아주 듣기 싫은 소리예요. 뛰는 사람
〈2번의 근거〉
은 즐거울지 몰라도, 옆집과 아랫집에 사는 이웃들은 소음 때문에 잠을 이룰 수 없어요.　▶듣기 싫은 소리
　반대로 이웃 간에 인사하는 소리는 듣기 좋은 소리예
〈3번의 근거〉
요. 집 앞이나 엘리베이터에서 이웃을 만나면 반갑게 인사해요. 이웃과 부딪치면 먼저 "죄송합니다."라고 사과
〈2번의 근거〉
해요. 또, 이웃에게 도움을 받으면 "고맙습니다."라고
〈5번의 근거〉
인사해요. 이런 소리를 자주 나누면 이웃끼리 사이좋게 지낼 수 있어요.　▶듣기 좋은 소리
　우리는 모두 혼자 살 수 없어요. 그러므로 이웃에게 피해를 주지 않고, 우리도 피해를 입지 않도록 서로 조금씩 조심해야 해요.　▶이웃 간에 서로 피해를 입지 않게 조심해야 함.

이렇게 지도해 주세요! 이 글은 이웃 간에 소음으로 기분이 상하지 않도록 조심해야 한다고 주장한 글입니다. 글을 읽고 이웃 간에 지켜야 할 예절을 알 수 있도록 지도해 주세요.
• **주제** 이웃 간에 듣기 싫은 소리는 줄이고 듣기 좋은 소리는 나누자.

1 이 글은 '이웃' 간에 듣기 '싫은' 소리는 줄이고 듣기 좋은 소리는 나누도록 노력해야 한다고 주장한 글입니다.

2 이웃 간에 정답고 기분 좋은 소리가 오갈 때도 있지만, 항상 듣기 좋은 소리만 나누는 것은 아니라고 하였습니다.

오답 풀이
① 이웃은 옆 건물에 살기도 하고, 바로 윗집, 아랫집, 옆집에 살기도 한다고 하였습니다.
② 이웃과 부딪치면 먼저 "죄송합니다." 하고 사과해야 한다고 하였습니다.
④ 집 앞이나 엘리베이터에서 이웃을 만나면 반갑게 인사해야 한다고 하였습니다.
⑤ 집 안에서 쿵쿵 뛰어다니면 옆집과 아랫집에 사는 이웃들은 소음 때문에 잠을 이룰 수 없다고 하였습니다.

3 이웃 간에 인사하는 소리는 듣기 좋은 소리라고 하였습니다.

4 '소음'은 '불규칙하게 뒤섞여 불쾌하고 시끄러운 소리.'를 뜻하는 낱말입니다. 집 안에서 쿵쿵 뛰어다니면 이웃들은 '소음' 때문에 잠을 이룰 수 없습니다.

5 이웃에게 도움을 받으면 "고맙습니다."라고 인사해야 합니다.

6 지윤이는 밤늦은 시간에 음악을 크게 틀어서 성준이네 부모님을 깨웠습니다. 이러한 행동은 이웃에게 피해를 준 행동이므로 "죄송합니다."라고 사과드려야 합니다.

7 이 글은 '이웃' 간에 듣기 싫은 소리가 나지 않게 노력해야 한다는 주장을 담은 글입니다. 주장을 실천하는 방법으로는 밤이 늦은 시간에 피아노를 치거나 '청소기', 세탁기 돌리지 않기, '집 안'에서 쿵쿵 뛰어다니지 않기, 그리고 이웃 간에 서로 인사하기가 있습니다.

생각 글 쓰기

◆ **예시 답안** 이웃들이 쉬는 것을 방해하기 때문이다.

이렇게 지도해 주세요! 밤이 깊은 시간에 피아노 치는 소리, 청소기와 세탁기 돌리는 소리는 이웃들이 쉬는 것을 방해한다고 하였습니다. 이 밖에도 이웃을 시끄럽게 하는 소리를 만들지 않도록 조심해야 한다고 설명해 주세요.

37회 연날리기

▶ 본문 160~163쪽

1 연날리기 2 (1) 가오리연 (2) 방패연 3 ④ 4 ⑤ 5 ② 6 (1)
× (2) × (3) ○ 7 전통, 개성

어휘다지기 01 (1)-ⓒ (2)-ⓖ (3)-ⓛ 02 (1) 체력 (2) 정월
대보름

이렇게 지도해 주세요! 이 글은 우리나라의 전통 놀이인 연날리기
를 설명하는 글입니다. 우리나라의 연날리기 풍습과 연날리기를
잘하는 방법을 알 수 있도록 지도해 주세요.
• **주제** 우리나라의 전통 놀이인 연날리기

가 겨울에는 눈썰매, 스키, 스케이트 등 많은 놀이와 운동을 할 수 있어요. 연날리기도 예로부터 우리나라 사람들이 겨울에 즐겨 하던 전통 놀이 가운데 하나예요. (3번의 근거) 연날리기는 아이들뿐만 아니라 어른들도 좋아하는 놀이였는데, (3번의 근거) 연 중에는 가오리 모양으로 만들어 꼬리를 길게 단 가오리연과 방패 모양으로 만든 방패연이 가장 유명하지요. (2번의 근거) 사람들은 주로 연초인 설날부터 정월 대보름까지의 시기에만 연날리기를 했어요. 그 까닭은 날씨가 따뜻해지면 농사를 지어야 했기 때문이에요. (3번의 근거) 사람들은 연에 나쁜 일을 적어 멀리 날려 보내면서 (3번의 근거) 일 년 내내 좋은 일만 있기를 바랐지요. ▶우리나라의 전통 놀이인 연날리기

나 연날리기를 잘하려면 어떻게 해야 할까요? 우선 적극적인 자세를 가져야 해요. (4번의 근거) 연날리기는 겨울에 추위에 맞서며 하는 놀이이기 때문이에요. 우리는 연날리기를 하면서 추위를 이기고 체력도 기를 수 있어요. (4번의 근거) 또한 연날리기를 할 때는 바람을 잘 이용할 줄 알아야 해요. (4번, 6번의 근거) 연은 바람을 타고 올라가는데, 바람이 부는 날에 바람이 흐르는 방향으로 연을 띄워 최대한 바람을 이용해야 하지요. (4번의 근거) 이렇게 연의 머리는 바람을 세게 마주해야 하기 때문에 (4번의 근거) 연을 만들 때 꼬리 부분보다 더 튼튼하게 만들어야 연날리기를 잘할 수 있어요. ▶연날리기를 잘하는 방법

다 연날리기는 우리나라에만 있는 놀이일까요? 그렇지 않아요. 연날리기는 우리나라 외에도 중국, 일본 등 (6번의 근거) (㉠)의 여러 나라들에서 즐기는 놀이예요. 하지만 연의 모양은 나라마다 다르답니다. 특히 우리나라는 각 지역의 생김새나 바람 부는 양에 따라 연의 모양을 다르게 (6번의 근거) 만들었어요. 그래서 우리나라의 여러 가지 연에는 개성이 담겨 있지요. ▶개성이 담긴 우리나라의 연

---

1 이 글은 '연날리기'에 대하여 설명한 글입니다.

2 (1) 가오리연은 가오리 모양으로 만들어 꼬리를 길게 단 연입니다.
(2) 방패연은 방패 모양으로 만든 연입니다.

3 사람들은 연에 나쁜 일을 적어 멀리 날려 보냈다고 하였습니다.

오답 풀이
① 연날리기는 겨울에 하는 놀이라고 하였습니다.
② 연날리기는 어른들도 좋아하는 놀이라고 하였습니다.
③ 연날리기는 우리나라의 전통 놀이라고 하였습니다.
⑤ 날씨가 따뜻해지면 농사를 지어야 해서 정월 대보름까지만 연날리기를 했다고 하였습니다.

4 연의 머리는 바람을 세게 마주해야 하기 때문에 연을 만들 때 꼬리 부분보다 튼튼하게 만들어야 연날리기를 잘할 수 있다고 하였습니다.

5 우리나라, 중국, 일본은 모두 아시아 대륙에 있습니다.

6 (1) 연의 모양은 지역마다 다르다고 하였습니다.
(2) 연날리기는 우리나라 외에도 중국, 일본 등 아시아의 여러 나라들에서 즐기는 놀이라고 하였습니다.
(3) 연을 날릴 때에는 바람이 흐르는 방향으로 연을 띄워 최대한 바람을 이용해야 한다고 하였습니다.

7 가 에서는 우리나라의 '전통' 놀이인 연날리기를 소개하였고, 나 에서는 연날리기를 잘하는 방법을 설명하였습니다. 그리고 다 에서는 우리나라의 연에 '개성'이 담겨 있다고 이야기하였습니다.

✎ **생각 글 쓰기**

◆ **예시 답안** 술래잡기, 땅따먹기, 사방치기, 윷놀이 등이 있다.

이렇게 지도해 주세요! 우리나라의 전통 놀이에는 또 무엇이 있는지 함께 이야기해 보고, 전통 놀이를 계속 이어가려면 어떻게 해야 하는지 생각해 볼 수 있도록 지도해 주세요.

38회
㉮ **뽕나무**_정세기
㉯ **하루**_김동극

▶ 본문 164~167쪽

1 숲 속 2 ② 3 ④ 4 ④ 5 ① 6 전학 7 서현
어휘 다지기 01 (1)-㉠ (2)-㉢ (3)-㉡ 02 (1) 의심 (2) 냄새

㉮

㉠숲 속에 냄새나면

모두들 나를 의심한다. ▶1~2행: 숲 속에 냄새 나면 뽕나무를 의심함.

엄나무 할아버지는 엄엄 하며

엄하게 바라보시고
○: 엄나무와 첫 글자가 비슷한 말을 활용한 말짓기놀이
대나무 아저씨는 댁끼놈 야단치시고
△: 대나무와 첫 글자가 비슷한 말을 활용한 말짓기놀이
참나무 아저씨가 참아라 하신다. ▶3~6행: 뽕나무가 나무들에게 혼남.
□: 참나무와 첫 글자가 비슷한 말을 활용한 말짓기놀이
사람들이 갖다 버린 쓰레기 때문에 나는 냄새에도
냄새가 나는 까닭
방귀도 안 뀐 나만 혼난다. 억울하다. ▶7~8행: 뽕나무가 억울해 함.

㉯

하루 앓고
5번의 근거
온 학교

남의 학교 같다. ▶1연: 학교가 남의 학교 같은 기분이 듦.

게시판엔 그림도
4번의 근거
바뀌었고.

㉡눈 큰 낯선 아이
전학 온 아이
앞에 앉았다. ▶2~3연: 게시판의 그림과 뒤에 앉는 친구가 바뀜.

선생님 묻는 말씀

영 모르겠는데,

– 예!

– 예!

모두들 손을 든다. ▶4~5연: '나'를 빼고 모두 정답을 앎.

아파 누운 하루 고 사이. ▶6연: 하루 학교에 빠지고 낯선 느낌이 듦.
'하루'가 아주 짧은 시간임을 나타냄.

이렇게 지도해 주세요! ㉮는 나무의 이름과 첫 글자가 비슷한 시어를 사용하여 읽는 이가 재미를 느끼고 말하는 이의 억울함을 알도록 쓴 시입니다. ㉯는 아파서 학교를 하루 빠진 '나'의 마음을 나타낸 시입니다. ㉮, ㉯에서 말하는 이의 마음이 어떠할지 생각해 볼 수 있도록 지도해 주세요.

• **주제** ㉮ 숲 속 뽕나무의 억울함
㉯ 학교를 빠진 다음 날의 낯섦

1 이 시는 '숲 속'에서 일어난 일을 쓴 시입니다.

2 ㉮의 말하는 이는 '뽕나무'입니다.

오답 풀이
① 대나무 아저씨는 댁끼놈 야단치신다고 하였습니다.
③ 이 시에 소나무는 나타나 있지 않습니다.
④ 엄나무 할아버지는 엄엄 하며 엄하게 바라보신다고 하였습니다.
⑤ 참나무 아저씨는 참이라 하신다고 하였습니다.

3 ㉠의 까닭은 방귀 소리인 '뽕' 소리와 '나'의 이름인 '뽕'나무의 '뽕' 소리가 같기 때문입니다.

4 교실 게시판에 그림이 바뀌어 있다고 하였습니다.

5 1연과 6연을 보면 말하는 이가 아팠다는 것을 알 수 있습니다.

6 ㉡은 같은 교실에 있으면서도 '나'가 낯설다고 느끼므로 다른 학교에서 '전학' 온 아이라고 짐작할 수 있습니다.

7 ㉯의 말하는 이는 아파서 학교를 하루 빠졌는데, 게시판엔 그림이 바뀌어 있고 눈 큰 낯선 아이가 있는 등 많은 것이 바뀌어 남의 학교 같다고 하였습니다.

오답 풀이
가윤: ㉮는 1연으로 되어 있습니다.
나희: ㉮에서는 말하는 이의 억울한 마음이 느껴집니다.
진후: ㉯의 말하는 이가 눈 큰 아이와 친하게 지내고 싶은지는 나타나 있지 않아 알 수 없습니다.

생각 글 쓰기

◆**예시 답안** 숲이나 산 등 나무가 있는 곳에 가면 쓰레기를 버리지 않고 가지고 돌아온다.

이렇게 지도해 주세요! 말하는 이는 사람들이 갖다 버린 쓰레기 때문에 숲 속에서 냄새가 난다고 하였습니다. 숲에 쓰레기를 버리지 않고 소중히 여겨야 숲에서 냄새가 나지 않는다고 설명해 주세요.

38 ①-4단계

39회 프레드릭_레오 리오니

▶ 본문 168~171쪽

1 프레드릭   2 ③   3 햇살, 색깔, 이야기   4 ②   5 ④   6 ②
7 ④

어휘다지기 01 (1)-ⓒ (2)-ⓒ (3)-㉠   02 (1) 잿빛 (2) 틈새

이렇게 지도해 주세요! 이 글은 프레드릭을 게으르다고 생각했던 들쥐들이 겨울이 되자 프레드릭을 떠올린다는 내용을 담고 있습니다. 「개미와 베짱이」와 비슷한 이야기 짜임을 가졌지만 결말이 전혀 다른 이 이야기를 통해 나와 다른 의견을 가진 사람도 존중해야 한다는 교훈을 얻을 수 있도록 지도해 주세요.

• **주제** 프레드릭의 겨울나기

겨울이 다가오자, 작은 들쥐들은 옥수수와 나무 열매와 밀과 짚을 모으기 시작했습니다. 들쥐들은 밤낮없이
_{2번의 근거}
열심히 일했습니다. 단 한 마리, 프레드릭만 빼고 말입
_{이야기의 주인공}
니다.

"프레드릭, 넌 왜 일을 안 하니?"

들쥐들이 물었습니다.

"나도 일하고 있어. 난 춥고 어두운 겨울날들을 위해

햇살을 모으는 중이야." / 프레드릭이 대답했습니다.
_{3번의 근거 – 프레드릭이 모으는 것 ①}   ▶ 햇살을 모으는 프레드릭
어느 날, 들쥐들은 동그마니 앉아 풀밭을 내려다보고 있
_{외따로 오똑하게.}
는 프레드릭을 보았습니다. 들쥐들은 또다시 물었습니다.

"프레드릭, 지금은 뭐 해?"

"색깔을 모으고 있어. 겨울엔 온통 **잿빛**이잖아."
_{3번의 근거 – 프레드릭이 모으는 것 ②}
프레드릭이 짤막하게 대답했습니다.   ▶ 색깔을 모으는 프레드릭
_{조금 짧은 듯하게.}
한 번은 프레드릭이 조는 듯이 보였습니다.

"프레드릭, 너 꿈꾸고 있지?"

들쥐들이 나무라듯 말했습니다. 그러나 프레드릭은,
_{프레드릭이 못마땅한 다른 들쥐}
"아니야, 난 지금 이야기를 모으고 있어. 기나긴 겨울
_{3번의 근거 – 프레드릭이 모으는 것 ③}
엔 얘깃거리가 동이 나잖아." / 했습니다.
▶ 이야기를 모으는 프레드릭
겨울이 되었습니다. 첫눈이 내리자, 작은 들쥐 다섯
마리는 돌담 틈새로 난 구멍으로 들어갔습니다. 처음엔
먹이가 아주 넉넉했습니다. 들쥐들은 바보 같은 여우와
_{모아둔 것이 넉넉할 때만 할 수 있는 이야기}
어리석은 고양이 얘기를 하며 지냈습니다. 들쥐 가족은
행복했습니다. (㉠) 들쥐들은 나무 열매며 곡식 낟알
_{그러나}
들을 조금씩 조금씩 다 갉아먹었습니다. 짚도 다 떨어져
버렸고, 옥수수 역시 아스라한 추억이 되어 버렸습니다.
_{기억이 분명하게 나지 않고 가물가물한.}
돌담 사이로는 찬바람이 스며들었습니다. 들쥐들은 누구
하나 재잘대고 싶어 하지 않았습니다. 그러던 들쥐들은,
햇살과 색깔과 이야기를 모은다고 했던 프레드릭의 말이
생각났습니다.
▶ 겨울에 프레드릭을 생각하는 들쥐들

1 이 글의 주인공은 '프레드릭'입니다.

2 작은 들쥐들은 옥수수와 나무 열매와 밀과 짚을 모았다고 하였습니다. '치즈'는 모으지 않았습니다.

3 프레드릭은 다른 들쥐들과 다르게 '햇살', '색깔', '이야기'를 모으고 있었습니다.

4 '잿빛'은 '재의 빛깔과 같이 흰빛을 띤 검은빛.'을 말합니다. 비슷한 낱말로는 '회색빛'이 있습니다.

5 '그러나'는 앞의 내용과 뒤의 내용이 반대되는 내용일 때 쓰는 낱말입니다. ㉠ 앞부분에서는 들쥐 가족이 행복했다고 말하고 있지만 뒷부분에서는 먹을 것이 다 떨어졌다고 말하고 있습니다. 이처럼 반대되는 내용이 앞뒤로 이어질 때 쓸 수 있는 낱말은 '그러나'입니다.

6 다른 들쥐들은 프레드릭에게 "왜 일을 안 하니?"라고 물었습니다. 또, 나무라듯 "너 꿈 꾸고 있지?"라고 물었다고 하였습니다. 이를 통해 다른 들쥐들이 프레드릭을 게으르다고 생각했음을 알 수 있습니다.

7 들쥐들은 먹을 것이 다 떨어져 겨울을 나기 어려워지자 프레드릭의 말을 떠올렸습니다. 따라서 그 뒤에 들쥐들이 프레드릭을 찾아간다는 내용이 이어지는 것이 가장 잘 어울립니다.

생각 글 쓰기

◆ **예시 답안** 내 생각과 다르다고 싫어하거나 무시하지 않고 친구의 말을 잘 들어준다.

이렇게 지도해 주세요! 다른 들쥐들은 처음에 프레드릭이 게으르다고 생각했지만, 곡식이 다 떨어지자 프레드릭의 말을 떠올렸습니다. 이처럼 내 의견과 다른 의견을 가진 친구의 의견과 행동도 틀린 것이 아니므로 무시하지 말아야 한다고 설명해 주세요.

1 구두쇠　2 ②　3 ㉯　4 ⑤　5 부자　6 ①　7 ④

어휘다지기　01 (1)-ⓒ (2)-㉠ (3)-ⓛ　02 (1) 시범 (2) 투정

옛날옛날, 어느 마을에 박 영감이 살았어요. **박 영감**
이야기의 주인공
은 아주 지독한 구두쇠였어요. 어렸을 때 몹시 가난했던
박 영감이 구두쇠가 된 까닭 – 2번의 근거
박 영감은 뭐든지 아끼고 아껴서 악착같이 재산을 모았

어요. 그래서 나이 들어서는 제법 큰 (㉠)이/가 되었
2번의 근거　　부자
지만, 여전히 아껴 쓰는 버릇이 몸에 배어 있었지요.

　하루는 이웃집 영감이 망치를 빌리러 왔어요.
박 영감이 구두쇠인 것을 보여 주는 이야기 ①
"금방 쓰고 돌려줄 테니, 망치 좀 빌려주게."

"망치로 뭘 하려고 그러나?"

"이 사람 참, 망치로 뭘 하겠나? (ⓛ)."

"어디 못 박는 일이 보통 일인가? 힘이 많이 들 것이
　　　　　　　　6번의 근거
아닌가? 그럼, 우리 망치가 그만큼 닳을 게 뻔한데, 어
박 영감의 어리석은 생각 – 3번의 근거
떻게 자네에게 망치를 빌려주겠나?"

"알았네, 알았어. 내가 잘못 찾아왔네."
망치를 빌리지 못해 속상함. – 4번의 근거　　▶이웃에게 인색한 구두쇠 박 영감
또 하루는 식구들이 밥을 먹다 말고 반찬 투정을 했어요.
박 영감이 구두쇠인 것을 보여 주는 이야기 ②
"아버지, 날마다 꽁보리밥에 간장만 먹으니 기운이 없

어요."

"그래요, 영감. 생선이라도 한 마리 사다 먹읍시다."

"그래? 좋아, 내가 생선을 실컷 먹게 해 주지, 암."

　박 영감은 당장 시장에 가서 "짭짤한 자반고등어 한
　　　　　　　　　　　　　　감칠맛이 있게 조금 짠.
(ⓒ)을/를 사 왔어요. 부인은 이게 꿈인가 생시인가
마리
싶어, 입이 헤 벌어졌지요. 아이들은 군침을 꿀꺽꿀꺽

삼켰어요. 박 영감은 고등어를 천장에 대롱대롱 매달았
　　　　　　　　가족들이 고등어를 먹지 못하게 한 박 영감
어요. 〈중략〉

　식구들은 입이 한 뼘은 튀어나온 채 밥을 먹었어요. 그
　　　　　　고등어를 먹지 못해 속상함.
러다 아들이 밥 한 술에 고등어를 두 번 바라보지 않았겠

어요?

"이놈! 짜겠다, 짜. 얼마나 물을 마시려고 두 번씩이나
박 영감의 어리석은 생각
바라보느냐?"

　이쯤 되니 사람들이 박 영감더러 세상에 둘도 없는 구

두쇠라고 할 만했지요.
▶가족에게 인색한 구두쇠 박 영감

이렇게 지도해 주세요! 이 이야기는 몇 가지 일화를 들어 박 영감
을 우스꽝스럽게 표현한 글입니다. 글 속의 박 영감이 어떤 인물
인지 이해하고 박 영감의 행동을 평가할 수 있도록 지도해 주세요.
• **주제** 구두쇠 박 영감 이야기

1 이 글은 '구두쇠' 박 영감에 대한 이야기입니다.

2 박 영감은 어렸을 때 몹시 가난했다고 하였습니다.

3 박 영감은 망치가 닳을까 봐 이웃집 영감에게 망치를
　빌려주지 않았습니다.

4 못을 박아야 하는데 망치를 빌리지 못한 이웃집 영감은
　화가 나고 속상했을 것입니다.

5 어렸을 때 몹시 가난했던 박 영감은 뭐든지 아끼고 아
　껴서 악착같이 재산을 모았다고 하였습니다. 박 영감은
　이전에는 가난했지만 지금은 재산을 많이 가지고 있으
　므로 ㉠에 들어갈 낱말은 '부자'가 알맞습니다.

6 이웃집 영감의 말을 들은 박 영감은 '어디 못 박는 일이
　보통 일인가?' 하고 말하였습니다. 이를 통해 이웃집 영
　감이 망치로 못을 박는다고 말한 것을 알 수 있습니다.

7 '마리'는 '짐승이나 물고기, 벌레 등을 세는 단위.'를 뜻
　하는 말입니다. 고등어는 생선이므로 고등어를 세는 단
　위로는 '마리'가 알맞습니다.

생각 글 쓰기

◆**예시 답안** 고등어를 먹지 못했기 때문이다.

이렇게 지도해 주세요! 박 영감은 가족들이 반찬 투정을 하자 자
반고등어를 사 왔지만, 먹지는 못하고 쳐다만 보게 하였습니다.
이러한 장면은 박 영감이 가족들에게도 돈을 쓰는 데 인색한
구두쇠임을 보여 주는 장면이라고 설명해 주세요.

실력 진단 평가 정답

01 ④　02 ⑤　03 ①　04 촉각　05 ④　06 ②　07 고려청
자　08 ⑤　09 ④　10 인쇄　11 흙　12 불　13 강아지　14 신
문　15 햇빛　16 꽃　17 종류　18 바깥　19 기술　20 과정

초등 국어
일등급 독해력 ①

이 책을 추천합니다.

●● 초등학생에게 국어 독해 공부가 필요한 이유는 분명합니다. 글을 읽고 스스로 독해하는 능력이 부족하면 모든 과목의 학습 능력이 떨어질 수밖에 없습니다. 독해 능력은 무조건 책을 많이 읽는다고 길러지는 것이 아니라, 좋은 글감으로 쓰인 글을 읽고, 여기서 정보를 찾아 논리적으로 이해하는 연습을 반복할 때 길러지는 것입니다.

– 문주호 (청봉초등학교 수석 교사)

●● 독해 능력이 떨어지면 수업을 따라가지 못해서 공부에 흥미를 잃게 되기도 합니다. 그래서 독해 공부가 중요합니다. 이 책으로 공부하면 쉽고 재미있는 짧은 글부터 어렵고 긴 글까지 단계별로 읽으며 독해력을 기를 수 있습니다. 매일 독해 공부를 한 뒤, 모르는 어휘에 대한 공부도 함께 하면서 독해력의 기초를 다질 수 있는 좋은 교재입니다.

– 오정남 (밀양초등학교 교사)

●● 초등학교 입학 전부터 꾸준히 독해 공부를 해 온 아이라, 다양한 글을 많이 읽을 수 있는 교재가 필요했습니다. 이 책에서는 문학 작품 외에도 인문, 사회, 과학, 기술, 예술 등 여러 분야의 글감을 골고루 접할 수 있습니다. 또한 문제를 통해 글의 주제를 잡고, 세부적으로 중요한 내용을 정리하면서 어휘까지 복습할 수 있어서 좋았습니다.

– 노인희 (방산초등학교 2학년 학부모)

지은이 꿈을담는틀 편집부   **펴낸곳** (주)꿈을담는틀
펴낸이 백종민   **등록번호** 제302-2005-00049호
대표전화 1544-6533   **팩스** 02-749-4151   **펴낸날** 2019년 9월 25일 초판 1쇄
주소 서울시 영등포구 당산로 50길 3 꿈을담는빌딩   **홈페이지** www.ggumtl.co.kr

엄마! 우리 반 **1등**은 **계산의 신**이에요.
초등 수학 100점의 비결은 **계산력!**

KAIST 출신 저자의

계산의 신 神

《계산의 신》 권별 핵심 내용		
초등 1학년	1권	자연수의 덧셈과 뺄셈 기본 (1)
	2권	자연수의 덧셈과 뺄셈 기본 (2)
초등 2학년	3권	자연수의 덧셈과 뺄셈 발전
	4권	네 자리 수/ 곱셈구구
초등 3학년	5권	자연수의 덧셈과 뺄셈 /곱셈과 나눗셈
	6권	자연수의 곱셈과 나눗셈 발전
초등 4학년	7권	자연수의 곱셈과 나눗셈 심화
	8권	분수와 소수의 덧셈과 뺄셈 기본
초등 5학년	9권	자연수의 혼합 계산 / 분수의 덧셈과 뺄셈
	10권	분수와 소수의 곱셈
초등 6학년	11권	분수와 소수의 나눗셈 기본
	12권	분수와 소수의 나눗셈 발전

매일 하루 두 쪽씩,
하루에 10분
문제 풀이 학습

현직 초등 교사들이 알려 주는
초등 1·2학년 / 3·4학년 / 5·6학년
공부법의 모든 것

〈1·2학년〉 이미경·윤인아·안재형·조수원·김성옥 지음 | 216쪽 | 13,800원
〈3·4학년〉 성선희·문정현·성복선 지음 | 240쪽 | 14,800원
〈5·6학년〉 문주호·차수진·박인섭 지음 | 256쪽 | 14,800원

★ 개정 교육과정을 반영한 현장감 넘치는 설명
★ 초등학생 자녀를 둔 학부모라면 꼭 알아야 할 모든 정보가 한 권에!

KAIST SCIENCE 시리즈
미래를 달리는 로봇

박종원·이성혜 지음 | 192쪽 | 13,800원

★ KAIST 과학영재교육연구원 수업을 책으로!
★ 한 권으로 쏙쏙 이해하는 로봇의 수학·물리학·생물학·공학

하루 15분 부모와 함께하는 말하기 놀이
룰루랄라 어린이 스피치

서차연·박지현 지음 | 184쪽 | 12,800원

★ 유튜브 〈즐거운 스피치 룰루랄라 TV〉에서 저자 직강 제공

가족과 함께 집에서 하는 실험 28가지
미래 과학자를 위한
즐거운 실험실

잭 챌로너 지음 | 이승택·최세희 옮김
164쪽 | 13,800원

★ 런던왕립학회 영 피플 수상
★ 가족을 위한 미국 교사 추천

메이커: 미래 과학자를 위한 프로젝트
즐거운 종이 실험실

캐시 세서리 지음 | 이승택, 이준성, 이재분 옮김
148쪽 | 13,800원

★ STEAM 교육 전문가의 엄선 노하우

메이커: 미래 과학자를 위한 프로젝트
즐거운 야외 실험실

잭 챌로너 지음 | 이승택, 이재분 옮김
160쪽 | 13,800원

★ 메이커 교사회 필독 추천서